特許を巡る企業戦争最前線

特許を巡る企業戦争最前線

岡崎信太郎

海鳴社

もくじ

まえがき

就活が、ずいぶん私たちの時代とは変わってきた。それが、この原稿を書く最初の動機である。私たちが就職する頃は、終身雇用、年功序列があたりまえであった。そういうことは、いい古されているかもしれない。

私は当時、なにも考えていなかった。いや、何か考えていたかもしれないが、大学を出たら就職するのはあたりまえだし、私がなにを考えても、そういうことでは社会は変わらないと、思っていた。

年功序列や終身雇用も同じである。

今は、非正規の時代らしい。非正規はよくないことの象徴である。はたして、そうだろうか。

確かに、就活する人が、非正規の問題点を云々してもしょうがない。それは、昔からそうである。非正規が良いとはいってない。悪いに決まっている。

でも、就活する人がそういうことを議論しても、なにも変わらないのは、今も昔も同じである。何も変わらないのであれば、ひとりひとりは、どうしたらよいのであろう。

そんなことから、この物語は、はじまっている。

私たちの上の世代は、学生運動をずいぶんしたと聞いている。「政治の季節」ともよばれている。そのせいか、大学に入るとテストは少なかった気がする。

キャンパスは「タテカン」だらけだった。今の大学生は「タテカン」という言葉の意味を知らないらしい。たぶん、キャンパスに「タテカン」はないのだろう。

看板を立てて模造紙などを貼り、そこに自己の主張を独特な文字で書いたものである。左翼っぽい主張が多く、曰く「戦後30年、混迷する現代に、思想的転換点を撃て！」という具合である。「立て看板」、誰もが、その言葉を知っていた。

学校を終えて社会に出るということは、何時の若者にもあることである。確かに、時代により、社会のあり方により、少しずつ状況は違うかもしれない。でも、何時の時代も、学校を卒業して社会に出るとき、社会人としての一人の生活がはじまるのである。社会人としての一人の生活は、これからはじまり、それは自分だけのものである。


自分で考え、自分で決める。

それが、自分の人生になるという時代がはじまるのである。


これから語る物語は私の半生を書いたものである。何十年もかけて、私は、このような人生を送ってきた。その人生は、ほぼ平成とともに歩んできた。

それは、「ジャパン・アズ・ナンバーワン」というバブルの時代から、日本が凋落してゆく時代かもしれない。「失われた１０年」とか「失われた２０年」とかいって、それは表現されてきた。

はたして本当にそうなのだろうか。

そして、この先はどうなるのであろうか。

1 会社

「オレは絶対おまえを行かせるからな」

ディレクターは本気らしい。


来年、研究所が御殿場にできることになっている。総務から若手が一人行かなくてはならない。車を運転できる者が行くらしい。山道の運転となると若者でないと。

ディレクターというのは、普通でいう次長のことである。彼は高校の先輩だった。私を転勤させることで、先輩としての特別の配慮を示すと彼はいった。なんだか反対のような気もするが、この頃はこんな行いが、当たり前だった。

おかしな会社だと思うが、部で一番えらい人は、部長である。

ディレクターはその次、いわゆる、次長である。その下は課長といった。マネージャーというときもある。

部長はどこかの、より大きな会社の労組の委員長だった。労組の委員長が天下りして、総務部長になるのである。私は少し、世の中がわかったような気がした。

課にはいくつかの係があった。

私の係は総務部のある課にあり、「給与」「人事」「労務」「庶務」の各々の係にチーフがいた。

私のチーフは「給与」だったが、同じ課の他のチーフから仕事が来ることもあった。

チーフとは別に主任がいた。主任はチーフの部下であり、チーフという名称のままのときもある。つまり、そのうち課長になる人の場合と、チーフ経験者でなんらかの原因で課長になれないか、トップから落ちた人の場合があり、にわかには、どちらの人かはわからなかった。

ともあれ、私には宮川主任という直属の上司と、谷原チーフというチーフがいた。

「おまえ、入社試験の問題を作ってみないか」

人事の林チーフからいわれた。

「はい、やってみます」

誰もいなくなった会社で、問題づくりに没頭する自分を想像してみた。「いいえ」はないのである。やってみるほかない。それから私は、当たり前に、普通の仕事の後、想像通り、試験問題を作った。

ここでいっておかなくてはならないのは、試験問題を作るのも仕事ということである。私には「給与計算」という日常の仕事の他に、このとき、「問題作り」という別の仕事が加わったのである。このようなことは、毎日、当たり前のようにあった。

加わる仕事をこなさなければ、キャリアを積むことができない。いつまでたっても仕事は変わらないのである。それに、新しい仕事がうまくできなければ仕事ができないやつになってしまう。

「できました」

人事のチーフに、できた問題を書いた紙を出した。

「おう、ごくろう」

受け取ったチーフは、面食らったようにいった。

「なんだあ、これは！」

「あの、採用の問題をつくったんですけど」

「おまえ、バカじゃねえの?」

「なんで、ですか」

「あのねえ、こんな問題じゃ採用試験にならないの」

当然のようにいう。

「えっ、受ける人ができるかどうかみる問題ですけど?」

「……」

「おまえに、会社受ける人ができるかどうか、聞いていないの!」

「だってチーフ、入社試験の問題をつくってみろっていったじゃないですか」

「いったよ」

「だから、問題つくったんですよ」


チーフはしぶい顔をしていた。

「だから、こんな難しい問題、普通、入社試験に出さないの。おまえ頭いいね」

「だって、簡単すぎる問題だと、みんなできちゃうじゃないですか?」

チーフは、哀れな目をしている。

「それでいいんだよ」

「それじゃ問題にならないじゃないですか」

「どういう意味だ」

「みんなできちゃう」

「それでいいんだよ」

「意味がわかんないんですけど？」


「入社試験はいつ行われる？」

「十月です」

「そうじゃなくて、どういうタイミングで行われる？」

「面接の後で」

「そのとおり……つまりね、採るか採らないかは、面接でもう決まっているんだよ……その後で入社試験はやるんだ」

「どういうことですか？」

「つまり、入社試験は、試験をやりました、ということなんだよ」

「何がいいたいんですか」

チーフは、つくづくしょうがないな、という顔をした。

「頭悪いね」

「つまり、採用しなかったのは、試験に落ちたからだという理由、建前にするためにやるんだよ……。後ね、本当にできない人を落とすため。だから、問題はうんとやさしくして、普通の人は絶対間違えない問題をださなければだめなんだよ」

私はなにもわかっていなかったのである。


―――――


林チーフは、先輩チーフを毎日送っていった。

つまり、先輩チーフが帰るとき、席を立つのを待っていて、エレベーターで下に降り、玄関から出て行くのを見送るために、ついて行くのである。

私は最初なにをしているのか分らなかった。


「チーフお帰りですか」

「うん」

疲れたようにいう。

「ご一緒します」

ゴマすりだと思うかも知れない。そういうことではないのだ。一緒に席を立ち、あとからついて行く。エレベーターで一緒に下に降りる。しばらくすると、一人でエレベーターで上がってくるのである。

疲れた顔をしている。彼も苦労していたのは、歳をとってみると分る。

「あーあ、今日も大変だった」

「ちょっと、話がある」

私は課長によばれた。

「おまえ、今日も弁当か?」

課長は面倒くさそうにいった。

「そうです」

「弁当食っていいけどさ、おまえ、弁当多くないか?」

「そうですか?」

「おまえさ、本社で一番弁当多いんだよ」

「そんなの、見てたんですか」

くだらないという顔をしている。

「見てなくてもね、有名なんだよ」

本社は、昼に仕出し弁当を取ることができた。仕出し弁当は３８０円であった。

「弁当ばっかり食べていると、昼に先輩と出かけることもないだろ」

「先輩と出かけても、５分で食事を終えるのですよ」

「普通だろう」

当然という顔をしている。

「でも、先輩は、早くエサ食っちまえって、いうのですよ……私がたべているのは、エサじゃないのに」

「えっ？」

「だから、私はエサを食べているのではなく、昼ごはんを食べているんです」

「それに先輩は、５分で昼ご飯を食べて、必ず喫茶店でコーヒーを飲むのです。三口で飲むのですよ」

課長は面白くなったのか、重ねて聞いた。

「それで？」

「もったいないじゃないですか」

「おまえ、そう思うの？」


——————


私は「給与」と「勤怠」が主な仕事だった。

「勤怠」とは、働いているか怠けているか見張る仕事である。具体的にいうと、始業は、遅刻しない限り、朝から皆来ているから、何時まで勤務していたのかを見る。この頃、上司より先に帰るということは、常識的にあり得なかった。残るは、欠勤と遅刻を見張ればよいことになる。つまり、タイムカードにみんな出ていることだ。

残業する場合も、マークシートという紙に、わざわざ時間を書かなければならない。ということは、残業するときはあらかじめ、上司から時間を記入するためのマークシートを、もらわなければならないということである。

マークシートが出ない場合は、当然時間給がつかないのだから、サービス残業になる。休日勤務も、当然マークシートを出さなければならない。マークシートに記入すれば、日給月給で、自動的に計算されるようになっている。

給料日の前日は「給与本番」の日といって、私はこの頃会社の電算室に詰めて、各人の給与を計算して明細が出るようにしていた。このため、大量のマークシートをコンピュータに読み込ませて、各人の残業代などを含めた給与計算をさせなければならない。

会社には、「オフコン」とよばれるコンピュータがあった。それに、マークシートを読み込ませるための磁気テープを作るのである。

さらに、翌日の朝、データが記録された磁気テープを、東京郊外にある銀行のデータセンターまで、私がタクシーで届けるのである。

翌日、各自の銀行口座に、銀行から給与と残業代がはいっているのである。

帰りは、電車である。私より、磁気テープのほうが重要であったのはいうまでもない。

「ボーナス本番」の日は、朝、銀行が来た。給与は振り込みだが、ボーナスは現金支給であった。

「銀行さん、来ました」

誰かがいう。手渡すほうが、ありがたみがあるということである。銀行が応接間に入ってきた。大きなジュラルミンの鞄を3つ持っている。3億円くらいの現金が入っているのである。

「勤労」のスタッフ総出で、明細に従い、現金を袋詰めしていく。新米の私たちと違って、普通、銀行の帯封がついた束がポンと一つ乗り、その上に、数えた札がさらに乗るのである。みんな明細と首っ引きで、もくもくと作業をしている。

ところが終わりに近づくと、現金がたくさん残っていき、袋詰めと明細が一致しなかったのが、明らかになる。そうするとチーフが、「これ、ここ…」などという。

いわれた閉じた袋を開ける。やまかんなのだが、これが不思議と当たるのである。やはり間違っている。

「彼の査定はどれくらいかな?」

人事の人が、コンピュータのアウトプットを繰って、見ていた。

普通、個人の査定は秘密に属することだから、権限がない人が見ることは禁じられている。ところが、彼は、アウトプットを見ているのである。

「専門家しか見てはいけないのに…」

「専門家のつもりなんじゃないの?」

人事を担当する部署の人間は、自由にアウトプットを見ていた。

「山口専務!」

机の電話が鳴ったので受話器を取って反射的に出たことばだ。

「ゲッ！　専務から直接電話がかかってきた…」

給与明細の袋は、普通、上司が渡すのだが、上司がいない人がいる。役員である。役員には、私が給与明細の袋を渡すことになっていた。

ところが、私は専務と常務を間違えて渡してしまったのである。その電話だった。間違えた役員は、お互い袋を開けてしまい、相手の金額が分ってしまった。

私の同期入社に、「経理」に勤める高田という者がいた。私は彼と仲が良くて、会社が会員になっている新宿のスポーツクラブなどに、よく一緒に行った。楽しかった。

ところが、彼は半年たたないうちに、熱を出して遅刻してしまった。我々は、本社勤務のスタッフだったので、遅刻は許されない。私は「勤怠」を担当していたので、マークシートを抜き、彼の上司にバレないように手を打ったのである。

そうこうするうちに、転勤の日限が迫ってくる。私は悩んだ。どうしたらいいのだろう。チーフに相談して考えてみたものの、自分で結論を出すのは難しかった。そこでマネージャーに相談したのである。

マネージャーは少し考える風であった。

「おまえ、自分でどう思う？」

「どういうことですか？」

「この仕事、自分に向いていると思うか？」

「仕事が自分に向いているかどうかわかりません」

「性格は？」

「性格は別に問題にならないと思うんですけど？」

「この仕事やりたくないの？」

「別にやりたくないわけじゃないんですけど」

「じゃあ、やりたいの？」

……マネージャーは、また考える風であった。

「そういうわけでもないんですけど」

「それとも転勤したくないの？」

「転勤したくないわけじゃないですけど……。簡単にいうと自信がないんです」

「なんで？」

「向こうへ行くと、若い人は僕一人でしょ？　一人でやれるかな、と」

彼は考える風であった。

「うーん……」


「おまえ、高田の遅刻を隠しただろ」

「知ってたんですか」

「知っていたさ、あたり前じゃないか」

くだらなそうにいう。

「それ、自分の優しさだと思っているんだろ」

「あー、俺　優しいなと思っていました」

「俺はそうは思わないな。……おまえはね、ああいうことをやってしまうんだよ」


私は、会社を辞めることにした。

2　会社に入る前

私は浪人した。

家には金がないことを知っていたので、「宅浪」することにしていた。

友人が来て、皆、予備校に行けという。私はそれを聞いてうらやましいと思った。皆が来てくれたおかげで、父も金を出してやるから予備校に行け、という。

予備校の授業が終わると、午後はその復習をして、その後は翌日の予習をした。毎日である。

土曜日は、1週間の復習をした。土曜日にやりきれないときは、残りを日曜日に回した。家は狭いので、日曜日は毎週、図書館に行った。

気をつけなければいけないのは、「復習」といっても、単に、問題をやるだけではいけない。「理解する」とか「記憶する」とか、やり方は個人によって違うが、要は「完全にマスターする」ことである。そうしないと、復習の効果はない。

予習より、復習のほうが大事だと私は思う。

図書館では、他の高校に行った中学の友達がいて勉強していた。彼が休憩を取るまで、頑張ることで、励みになった。

そうこうするうち、秋の模試を受ける。ほとんどの志望校は「合格確実」だった。

冬の入試シーズンになった。私には、誤算があったのである。

私は計画通り受験していたが、終わり頃、受験が終わった友人がきた。彼は風疹にかかっていたのである。潜伏期だったので彼も私も分らなかった。

案の定、私は、その後の受験の日、風疹らしきものを発病した。国立大学の受験の日である。ある学校の受験の後、家に帰ると、私は３９度を超える熱を出して、倒れてしまった。

父は、

「こいつは、今年は、どこもだめかもしれない」

と、家の者にいうのが聞こえた。

私は、いろんな学校に落ちた。

早稲田大学の教育学部の合格発表があって、奇跡的に受かっていた。家に電話をして知らせると、母が電話に出て言った。

「そこの書類をもらって、そこに行きなさい。来年、何があるか分らないんだから、もう終わりにしなさい」

私の受験は、終わったのである。

「おまえを大学にやる金はないから、もう勉強するのは、やめろ」

父にそういわれた。私は長男で、弟がたくさんいた。兄弟が多い分、金がかかる。私はよく分っていた。でも、友達はみんな大学に行くのである。

「あんな高校に行かせるんじゃなかった」

父は後悔していったのだろうけれど、月に８００円という、都立高校の安価な授業料は、魅力だったのではないかと思う。

私は大学がきまったのだから、家を出ることにした。

不思議なことに、大学の入学金は父が出してくれた。でも4年間も、授業料をつくらなければならない。私は、なんの計画もないまま入学手続きをした。

同じことが英語でもいえる。私は、決して英語が得意ではなかった。受験英語にかつかつついていくレベルである。

でも、アメリカに行くと、子供でも英語を話しているのである。英語がしゃべれないので、自閉症になったアメリカの子供の話は聞いたことがない。

日本人は英語を習っているとき、頭の中は英語になっていない。日本語になっている。だから、英語ができないという。果たして、そうだろうか。

日本で暮らしていて、頭の中が英語になっていないのは、当たり前ではないだろうか。周りはみんな日本語で話しているのである。コミュニケーションをとるため、頭の中が日本語になるのは、普通である。日本で暮らしていれば、そのような癖がつくのは自然ではないだろうか。ひとりだけ、頭の中が英語になったらおかしくないだろうか。

普段、周りの人と同じ言葉を話し、周りの人と同じ文化で生きるのが人間である。英語を話す人たちと、英語を話す人たちの文化の中で暮らせば、自然と頭の中で英語を使うようになるのである。発音とか、アクセントについても不思議である。

私の事務所には、いろんな国の人がやってきた。発音が正しいほうが言っていることはよく通じるのかもしれない。でも、外国から来る彼らの言葉の発音は、バラバラである。イギリスの人、ドイツの人、スペインの人、アメリカの人、皆違う。どの人の発音に合わせればいいのだろうか。

例えば、スペイン人の英語は全然聞き取れなかった。彼がくれた名刺を見ても、彼の名前を発音できない。

言っていることが通じないという経験は、発音が得意ではない私にはたくさんあった。私がいうことはほとんど通じない。でも通じないときは、向こうから聞き直してくるのである。そのときこちらが、適切でない表現をしていることも、しばしばある。そういうときは、向こうから、発音と一緒に表現も直してくれるのである。笑いながら。

そのときがチャンスである。発音と表現を一緒に学べる好機だと思う。そうすることで、特定の個人向けの生きた英語が学べるのである。

コミュニケーションをとるのは、特定の人であることが多い。言語はコミュニケーションの道具であることを忘れてはならない、と思う。

大事なのは、道具ではなく、何を伝えるか、つまり、中身である。道具が立派でも、中身がちゃんとしていなければ、意味がない。

私はある韓国人と話すとき、彼は英語で話し、韓国語ができない私は日本語で話して情報交換するのが、楽で正確だった。彼は、日本語がわかるのである。

日本人は、日本語の価値に気付いていていない。日本語で高等教育を受けられるし、ほとんどの本も日本語で読める。このことが、どんなに希有なことかしれない。

ほとんどのアジアの国は、大学教育は自国語で受けられないのである。英語教育は重要だとされるが、私は日本語で大学教育を受けられることが、この国の産業文化の発展に重要な役割を果たしたと思う。

英語教育に重要な役割を果たしたのは、読み書きする力である。外国とのやり取りは、現代でも、ほとんど手紙である。従って、英語の文章が読めなければならない。

外国人の手紙は難しい。ファックスやメールの場合も同じである。ただ、英語の文章はドラマのモースの作品ではない。

従来入試で出されていた古い英語ではなく、大切なのは現在使われている言葉である。そういう意味で、英語の基本5文型は大事である。5文型のどれが使われているのか、すぐに分らなければならない。

主語の次に動詞が来る。主語が必ずあるのが英語であり、日本語との違いに慣れなければならない。

自分で文章を書く場合にも、基本5文型は大事である。複文を使うような、高級で難しい文章は普通書けないし、間違えるからつくらないほうがいい。

自分で分らなくなるような文章は混乱の原因になる。ひとつの文章で、ひとつの事柄を書けば意味がはっきりする。ひとつのことを、単文で書けばいいのである。

下宿は大学のそばの蕎麦屋の2階であった。シャレではない。

トイレは共同で、風呂は当然なかった。部屋に、「流し」もない四畳半だった。でも月8000円と、アパート代は安かったのである。

大学に入る日、家から下宿までリアカーで布団などを運んだ。もっとも、持ち物は布団くらいしかないのであるが……。

リアカーで荷物を運んでいると、おまわりさんに止められた。空き巣か夜逃げだと思ったらしい。事情を話して、理解してもらった。

私は無事大学に入ったが、学費の算段はついていなかった。生活費もである。当時、学費は半期12万、年間で24万円かかった。私はアルバイトをすることにした。

大学の学費が4年間変わらない大学にいくことにしていたのである。私には、あまり選択の余地はなかった。

家庭教師をすると、週2回で1ヶ月25000円、1回2時間であった。私は2つか、3つやることにした。3つやると、だいたい毎日がバイトなのだが、背に腹は変えられない。それに、日曜日は、浅草の場外馬券売り場のガードマンか、業者主催の中学生相手の模試の監督をすると4500円が入った。それで、授業料と生活費はなんとかなった。

後は、仕送りが来る級友の下宿を、月に一度ずつ、仕送りが来る頃、回ればいい。愛想だけは、ずいぶんよくなった。

ある会社の課長さんが実家に来て、卒業したら、うちの会社に入らないかという話を持ってきてくれた。なんでも、就職したらアメリカに勤務してもらうということであった。

両親は、のり気であったが、私は気が進まなかった。後年も女房等から、呆れられたのであるが、私は、もともと海外勤務をしたくなかったのである。日本からも、東京からも、できるだけ、離れたくなかったのである。

これは、私の小心者の気持ちの表れかもしれない。

当時、生協食堂のC定食は320円だった。

C定食は、「ピーマン肉詰め定食」で、毎日これと、「インスタントラーメン」を1回食べるのである。一日2食だ。うまくすれば、夜、アルバイトの家庭教師に行くと、食事をだしてくれることもあった。アルバイトの条件として、「夜1食」つけてくれること、という場合もあった。

大学のそばで、キッチンオレンジの「スタミナライス」が190円、学食の「早稲田ランチ」が170円だったが、「早稲田ランチ」のハムは、ザラザラしていて、すごく不味かった。

その頃、「牛丼」が320円もしていて、私は学生のあいだは一度も食べたことがなかった。

高校の頃の先輩が1級上にいて、大学の近所の高いめし屋で、ご馳走してくれたことがあった。このとき初めて「天丼」というものを食べて、夢中で味わったのを覚えている。彼はその後、大学院に行き、付属校の教師になった。

それが、就職をして四谷に行くと、昼一食で600円もかかるので、ビックリした。

3 就職

当時の就活は、ひどいものである。

十月一日が当時の会社訪問の解禁日であった。その日に、ある自動車会社にいくと、1階は東大、2階は早稲田、3階は慶応で、その他は帰っていいと受付でいわれた。完全な学歴フィルターである。当時は「指定校制」と呼んでいた。

会社訪問の解禁日に行くことは、熱意が認められるから大事であった。でも、会社訪問の解禁日に朝行くと、その会社に朝から閉じ込められ、一日中出られない。そうするうちに会社訪問の大事な解禁日は過ぎていくのである。当然他の会社にはいけない。

2階に行くと、大学の先輩がいた。先輩と一日中しゃべり、過ごすのである。後で、私を含め、大半の人は落とされる運命にあった。

つまり、当時はどこの大学へ入るかで就職先の会社がきまり、「年功序列」、「終身雇用」だから、就職先の会社に一生いるのである。就職先の会社から、そこでは、どのように働くのが正しいのかがたたき込まれ、それを正しい生き方と信じて、生きるのである。

就職したら、一社に一生勤め、なにも考えないほうがいい。全て教えてくれるから、教えられたように生きるのが最善の方法であった。悪名高き、イギリスのイレブン・プラスと似ている。


しかし、今は違う。

経営者は、自社にいかに満足のいく投資を投資家にしてもらえるかを優先的に考えている。そうすることで、高い報酬にありつくのである。だから経営者は、従業員を減らして、利益が多くするよう努力する。投資家は、そういう経営者がうまく会社を経営したとして経営者に多額の報酬を支払う。世間も、そのことを当然のこととして受け入れている。

会社は株主のものだから、投資家は気に入った経営者に多くのお金を払うのであり、そのことは一般にも認められている。

かくして法人は、考えられないくらいどんどん大きくなり、その利益が従業員に還元される率は、どんどん少なくなる。

会社には、人件費がかからない非正規雇用の人が増えていく。そのほうが、経営者も不況に対処しやすい。投資家の金銭は、経営者により多く回され、世間もこれを容認しているようである。その結果、投資家と経営者が極端に富んだ世の中となる。分断が進む。格差は拡がるばかりである。

しかし、それればかりではない。

会社には、非正規雇用の人が増えたが、副業を認める会社も増えつつある。労働市場は前よりずっと流動的になった。その結果転職するのは、当たり前になったのである。

大企業には、優秀な人が集まるが、優秀な人たちを生かし切れていない。日常に、自由がないからである。

副業を許す企業で、本業以外のことに自分の自由を生かす道もある。しかも副業だから、それで収入も認められるのである。

ベイシックインカムは法律で認められている。優秀な人が多い企業は、働きにくいかもしれない。

昔、副業はほとんど認められなかったし、余暇の時間も本業に邁進することが美徳とされたのである。それはおかしいが、「おかしい」ということさえ、できなかったのである。

大企業以外の企業に勤務し、自分の自由な時間にいろいろな人と逢い、いろいろな所に行くことで、その企業以外の道を探ることもできるのである。

周りが優秀な人ばかりであると目立たないから、出世できない。いろいろなことを考えても実現できないのである。チャンスがない。だから、意欲がある場合は、自分の考えが生かせる所を選んだほうが得である。

オフィスの使い勝手を変更し、社外の人と触れあえる場を作った企業は、大企業でなくても伸びるかもしれない。

私が就職した頃の人気企業は、今の人気企業にはほとんどない。

日本は、物作りの国である。私が就職した頃、人気企業の上位はほとんどメーカーだった。ところがいま、人気企業にメーカーはほとんどない。大企業が自己の利点を維持できる期間は、短くなっている。あの頃、人気企業に就職した人たちはいまどうしているのだろう。就職とは、そういうものである。

この国は、物作りの国だったが、少子高齢化のせいか、生産人口が減って、それが消費経済に変わろうとしているのかもしれない。

多様な生き方ができるようになったのである。昔のような、エリート人生ばかりがよいわけではない。ひとりひとりが、自分の価値観を体現できればいいと思う。果たしてそういう生き方になっているか。

自分の職業人生について、あるいは国について、考えてみるのも悪くないと思う。

4 退職

私には姉がいた。

姉は、特許事務所に勤めていて、姉のボス、つまり所長は政治家で、後に、日本の首相になる人だったが、この頃はまだわからない。

事務所の所員は姉一人で、他には所長しかいない。すごく小さな事務所だった。

姉のボスは、私が学生のころから、貧乏学生だった私をよく食事につれていってくれた。会社を辞めた私は、自分で商売をするなら、資格をとらなければならないと思ったが、資格試験の勉強をしなければならない。しかし、もう大学はおわったのだから、また勉強するのは、気が進まなかった。勉強しなくても、生活のためには稼がなくてはならない。

私は、とりあえずある特許事務所に勤めた。新聞で募集していた事務所であり、後の首相の事務所とは異なる。

姉は、「特許事務所は、転勤がないわよ」といった。それもあり、私は特許事務所に勤めることにしたのである。


ところが、特許事務所の仕事は面白かったのである。まず、特許事務所は「発明」というものを扱うが、「発明」という語の響きがあやしくて、気に入った。

また、「発明協会」という団体があるが、十八世紀か十九世紀のイギリス風で、興味をそそられる。私の趣味がＳＦだからかもしれない。

新しい工夫の権利を取るという仕事は、魅力的で、今までの仕事とは全く違う。私は仕事そのものに魅力を感じていた。


私は、法学部の出身ではなかったからかもしれないが、「司法試験」という資格試験の存在も、試験の中身も知らなかった。だから、弁護士が特許を扱うことを法律的に許されていることを知らず、特許を取るには弁理士にならなければならないと思っていた。つまり、弁理士試験に受からなければいけないと思っていたのである。

でも、調べてみた弁理士試験は難しい。私は勉強をしたくなかったのである。ただ、特許事務所に入ると、特許の仕事に魅力があった。特許の仕事をするには、どうしても弁理士にならなければならない。仕事の魅力に負けて、私は勉強することにしたのである。

特許は理系の仕事である。

「理系」といっても分野は広い。私は電気と機械は好きで、その分野の議論も好きであったが、化学は苦手であり、あまり関心がなかった。

私は子供の頃、エンジニアになりたかったが、大学の頃、気がつくと文系の道にはいっていたのである。だから、再び理系の道が見えたとき、嬉しかった。

ここで、「出願」について、説明しなければならない。

「特許」「実用新案」「意匠」「商標」について、それぞれ別個の法律があり、日本ではこれらについて、特許庁に1件毎に出願と称する申請をしない限り、権利はとれない。その代理をするのが弁理士であり、そういうことを相談するところを「特許事務所」という。

作品を完成しただけで、なにもしないでも発生する「著作権」とは、大きな違いである。

「コーヒーは120円だよ」

このころ、特許庁の地下では格安でコーヒーが飲めた。私は調査の息抜きにコーヒーをよく飲んだ。

「調査」には大きく分けて、2種類あった。「特許調査」と「商標調査」である。

「特許」とは、新しい技術について、通常特許事務所から新しい技術内容が特許明細書の形で詳細に記載され、出願されて、1年6ヶ月経つと内容が「出願公開」されるものである。

つまり、出願の内容が1年6ヶ月経つと、公報の形で世の中に広く知らされる。この時点で、新しい技術は世の中に広く知らされるから、隠されることがない。

知らせた代わりに、権利が付与されるのである。出願した人以外の人がその内容を真似することから、国家権力が守ってくれるのである。

有名な「公開代償説」、これが特許制度を設ける理由であり、世の人は、新しい技術の内容を真似できない代わりに、新しい技術の情報を得ることができる。その技術はすでに他人が出願しているから、その人が独占権を得るかもしれないので、同じ技術を出願しても独占権は得られない。しかし、知ることができた情報を基礎として、さらに工夫した技術を出願すれば、さらに新しい特許を得られるかもしれない。

かくして、技術は格段に進歩するのであり、新しい技術についても昔のように隠されることはないのである。

この公開公報を調べて、どんな技術が出願されているかを調べるのが、「特許調査」である。

一般の人は、「特許」が法律マターだと思って、弁護士が担当するものと考えているが、これは誤解である。弁護士も特許を専門にしている人以外は、たいていは特許は分らないのである。「特許出願」を担当しているのは、ふつうは弁理士である。

「商標」は商品のマークであり、サービスについても、サービスマークとよばれる商標として、それを表示することが認められている。

商標も特許事務所が出願するものであるが、特許と異なり、商標はそのマークを商品等に使っている限り、永久に権利が認められている。

このマークがすでに出願されているかどうかを調べるのが商標調査である。

他に独占権として、意匠権がある。あまり知られていないが、意匠権はデザインの権利である。意匠権も侵してはいけない。

私は最初、毎日特許庁の資料館などで、このような調査をするのが仕事の中心であった。商標については、特許庁の隣にあった弁理士会館の閲覧室で、手書きの商標出願速報が閲覧できた。したがって、調査をするときは、普通、一日中外出し、特許庁などで仕事をすることになるのである。

私と私の先輩は、毎日のようにこの調査のために外出していた。調査を終えると事務所へ帰り、調査報告書を作って事務所の先生に提出し、仕事を終えて家に帰るのである。加えて、家に帰ったら、資格試験の準備のため勉強をする毎日であった。

昔は土曜日も「半ドン」といって昼まで働くのが当たり前であり、日曜日は「ゼミ」と称して、資格試験のため、夜まで勉強するのが普通だった。

この頃、私の必須科目のゼミは、「基本書」と呼ぶ教科書を読むことが中心だった。基本書には、「青本」とよばれる現行の工業所有権法のコンメンタール（逐条解説書）つまり、特許庁の公式見解を書いたコンメンタールと、各科目の概説書がそれぞれあった。

基本書は、一部大体５００から６００頁あったと思う。「青本」はもっと多い。概説書の中身は、現在ではやはり多くなっているだろう。

ゼミでは、単に、基本書を読むだけでは、量も多く、漠然としすぎていて効率が悪いので、過去の弁理士試験の論文問題に合わせて、基本書に書いてあることを、レジュメとして、担当者がまとめるのである。みんなで足りないところを、レジュメに足していき、その完璧なレジュメを、覚えるのである。

結局、レジュメを覚えればいいのだと気づき、基本書はそのとき読んだくらいで、後はレジュメを覚えることが、受験勉強になった。

ただ、基本書を暗記する人もいたのである。狂っているというほかない。

よくできた完璧なレジュメを覚えて、一言一句論文試験で再現するのである。試験が終わった後、家で青本の「商標法第4条」の解説を声に出して読んでいたら、涙が流れたのを覚えている。

事務所の所長は、関東大震災の年、つまり、大正12年に弁理士登録し、ずっと特許事務所をやってきた。

途中、戦争の頃は特許を出願する人がいなくなったので、当時の計理士、つまり今でいう税理士になって、特許事務所のお客さんの帳簿を見せてもらい、それで食べてきた。

戦争が終わると、日本は技術が進展したので特許出願が増え、再び特許事務所を経営して、2つの別荘村を持った。別荘をもっていたのではなく、「別荘村」を2つもったのである。だから当時は特許事務所だけでなく、別荘村の別荘を「貸し別荘」として賃貸し、利益を得ていた。

資格試験の受験機関の紹介で、その事務所に勤めることになった。受験機関の紹介というのは、今では考えられないことであるが、当時は残業が多くて受験勉強に支障が出る勤め先が多かった。だから、受験勉強ができる事務所を、事情の分かっている受験機関に紹介してもらったのである。

事務所では、私は外注を依頼しに行かされることもあった。

「外注」とは、事務所で作成すべき書類の中身を事務所の外の人に有料で依頼することである。まあ、アルバイトである。だから、外注を引き受ける人、つまり「外注さん」は、他の事務所に勤務して、同じ仕事をしている人が多かった。

私が所長から新しい技術の説明を聞き、それを外注さんに伝えるのである。書類には、形式のようなものがあり、外注さんは、書類ができると連絡してくるから、私がそれをまた取りに行くのである。そこにチャンスがあり、外注さんが書類を完成する前に私が作り、それを外注さんに見せるのである。それを見て外注さんは、足りないところを教えてくれる。

仕事は、バレないように、家に帰ってやるのである。慣れてくると、外注さんも私の仕事に自分の意見を加えるだけで楽ができると思うようになり、私は私でずいぶん勉強になった。

それを何年も続ける。そうやって、私は仕事を覚えることができた。

知的財産の知識 1

知的財産権 知的創造活動によって生み出されたものを、創作した人の財産として保護するための制度。「知的財産」及び「知的財産権」は、知的財産基本法において次のとおり定義されている。

つまり、この法律で「知的財産権」とは、特許権、実用新案権、育成者権、意匠権、著作権、商標権その他の知的財産に関して法令により定められた権利又は法律上保護される利益に係る権利をいう。

工業所有権 主として特許権、実用新案権、意匠権及び商標権を指すものとして用いられているが、これらの中には、農業・鉱業・商業等の工業以外の産業に関する知的財産も含まれている。

特許権 新しい技術について、新規に出願されたもの。出願されると、1年6ヶ月後に内容が公報の形で公開される。審査を受け、この審査を通ると特許になる。実用新案もだいたい同じだが、小発明が対象である。

公開代償説　なぜ特許を与えるのかについての有力な考え方。

特許期間　審査を経て特許された場合の独占期間。普通出願から２０年である。法改正前は制度が異なり、審査を受け、この審査を通ると出願公告といい、特許期間は出願公告の決定から１５年とされていた。公告されると、６ヶ月間公衆の「異議申し立て」を受け付けて、再審査をした。公告制度がない現在でも、「異議申し立て」は認められている。

権利期間　特許以外の意匠や商標にも独占期間が認められ通常１５年である。このうち、「商標」は商品にそのマークを法律で定められたように使っている限り、更新出願すると、永遠の独占期間が認められる。

パリ条約　１８８３年パリにおいて、特許権、商標権等の工業所有権の保護を目的として、「万国工業所有権保護同盟条約」として作成された条約であり、フランス語が正文であり、英語などの公定訳文がある。「内国民待遇の原則」、「優先権制度」、「各国工業所有権独立の原則」などについて定めており、これをパリ条約の三大原則という。もちろん、我が国も入っている。

PCT（特許協力条約）　パリ条約をベースとしている。パリ条約第19条ではパリ条約の規定に反しない限り、パリ条約の同盟国間で「特別の取り決め」をすることを認めている。国際出願によって複数の国に特許を出願したと同様の効果を提供するが、複数の国での特許権を一律に取得することを可能にするものではない。この条約等によって複数の国で特許権を取得したかのような「国際特許」、「世界特許」または「PCT特許」といった表現が使用されることがあるが、世界的規模で単一の手続きによって、世界中の国で特許権を取得できるような制度は現在のところ存在しない。

知的財産制度　独占的な私有を認める制度である。
特定の技術などを、個人が独占することが、経済の進展に大きな進歩をもたらすことに注目して、このような私的独占制度を認める国が多い。私的な独占を積極的に認める制度である。社会主義の国では、自国内の国民に特許制度ではなく、「発明者証制度」を創設した国もある。

独禁制度　「独占禁止法」や「反トラスト法」等、呼び方はいろいろだが、私的独占の弊害を除去するため、独占を制限する制度がある一方、「特許法」等のように、一定の要件を課して積極的に独占を認める制度がある。国はこれらの制度をブレーキやアクセルのように使って、「社会秩序」と「景気浮揚」をバランスしている。

特許制度　「実用新案法」とともに、新規な技術的な発明を保護する制度。実用新案制度を持たない国もあるが、日本は長い間、特許制度とともに、実用新案制度を設けて新規な考案を簡易に護る制度をうまく運用してきた。

新しい技術は特許の場合は「発明」といい、実用新案の場合は「考案」という。

商標制度　いわゆる、トレードマークを護る制度である。「商標特許」という言葉は俗語であり、商標と特許はまったく別のものである。商標は更新を繰り返すことで、永遠の保護を実現することができ、更新の要件は、１０年ごとの商標の更新出願を義務づけて、そのマークをそのまま自己の商品に使っていることを確認している。

意匠制度　あまり知られていないが、物品の外観、すなわち、デザインを登録して護る重要な制度。

著作権　「著作権法」により保護される。著作権者が保有する著作者隣接権と呼ばれるたくさんの権利の束についての規定。長い間使われてきた「版権」と呼ばれる、著作者が版元に認める権利は、著作者隣接権のうちの主として「複製権」を版元に分与したもの。最近実現したインターネットのダウンロードを認める権利は、著作者隣接権の「公衆送信権」に属するものと考えられる。技術の進展にともない、「著作権法」は何度も改正されている。

内国民待遇　パリ条約に加盟する国の国民は、パリ条約に加盟する国において、その国の国民と同等に扱われるということ。パリ条約が特に認める権利のひとつ。

特許独立の原則　パリ条約では、特許など各国で取得した権利は、他の国から独立したものとして扱われるということで、特許などは、各国の主権のもとで認められるという当たり前のことをいったもの。パリ条約が特に認める権利のひとつ。

国の最高の「権力」を「主権」と考えると、特許権は主権の中で成立するから、国ごとに「特許」が存在するのは当然だし、特許要件や存続期間、優先権も国ごとに違う。

優先権　パリ条約が特に認める権利のひとつ。特許などは、各国でそれぞれ取得しなければならないが、その場合パリ条約に属する同盟の一国に出願すれば、二番目以降に出願する場合、その国に出願するときに優先権を主張すれば、一年以内なら最先に出願したときに出願したとして取り扱われる。

我が国は、この制度を国内出願同士にも適用する国内優先制度を創設し、内国民について、海外の国民が日本に同じ発明を出願した場合と、不平等とならないようにした。

（特許）明細書　新しい技術について、例えば、ハウツーメイクやハウツーユーズなど、発明が誰でも実施できるように、発明の内容を非常に詳しく書いた書類。発明の内容を書く上で、実務経験等、書いた人の技術が厳しく問われる。これに必要な図面を添付して特許出願する。

意見書　出願した特許や商標などについて、審査官が拒絶理由通知を出して、権利化に反対の見解を示したとき、審査官を説得する反論を試みる書類。

補正書　出願の内容を直す書類。

願書　特許や商標などを出願するとき、表紙につける書類。

特許請求の範囲　英語でクレームともいう。特許を求める権利範囲を文章で表した書類。

意匠図　意匠のデザインなどがわかるように表した図面。

審査（請求）制度　一般に、世界では出願しただけで特許を認める国、出願後、全て審査して、審査で認めたもののみ特許権を認めるアメリカなどの国や、日本のように、出願後、審査請求があったもののみ審査して、審査でみとめたものだけに特許という独占権を認める国がある。審査請求料は一般に高額である。審査の要件としては、新規性（同じ発明が過去にないこと）、進歩性（似ている知られた技術より格段に進歩していること）が求められる。日本の審査請求料金は高いという定評がある。

補正　出願の記述内容などを出願後に変更すること。クレームに限らず、出願全体を変える。

クレームの補正　特許請求の範囲の記述を出願後に変更すること。よく行われる。

審判　特許や商標などについて、特許庁が決めたことを覆す準司法的行政手続き。専門の特許庁審判官が行う。審判の審決は裁判所の第一審の判決として扱われる。

知的財産高等裁判所　東京に一つだけ置かれ、「知的財産の行政裁判」を管轄にしている。特許の民事裁判は専門的なため、東日本の特許裁判は東京地裁で、西日本の特許裁判は大阪地裁で行われる。できるだけ、特許裁判に専門家の意見を反映するためである。両裁判所の控訴審は、全て東京にある知的裁判高等裁判所ただ一カ所で専門的に行われ、判決の統一を図っている。実質的に最高裁の役割を果たすためである。

知財裁判　主に、審決取り消し訴訟と侵害訴訟である。

特許事務所　弁理士が開設する事務所。弁理士事務所、特許事務所、特許商標事務所、知的財産事務所などがある。特許出願などの出願と、特許裁判を業務にしている。

拒絶理由通知　審査官が特許などの審査中、登録できない理由を発見したとき、通知して、その理由を示す。通常、代理人の事務所に来る。

拒絶査定 審査官が拒絶理由通知を出しても、出してきた意見書・補正書に納得しないか、期間が経過しても応答しない場合等の理由で、審査で出す拒絶の結論。

引例 拒絶理由を示すとき、その根拠として、具体的に示す証拠。先願の特許公報や公知になった刊行物が多い。特許は、他の特許の後願となったとき拒絶される。また、公報が発行されると、発行により公知とされるから、そこに記載された技術は特許にならない。

更新出願制度 商標だけに認められるものであったが、厚生省の許認可が遅れたとき、薬などの特許にも認められる。

商標は、権利期限を限る必要はない。

マークはそれが使用されて、初めて価値がある。

商標を出願して、登録されると、10年ごとにその商標が使われているかどうかチェックするための出願制度がある。これを商標の更新出願制度といい、使用を条件に再登録するのである。

5 事務所——資格試験

外注さんの一人に、事務所に通ってくる人がいた。

事務所で所長のそばにいて、低額で、事務所で作成すべき明細書や意見書などをその場で作成するのである。いわゆる「軒弁」である。

彼は金子弁理士といい、事務所の所長弁理士の友達で、お金がないので自分の事務所がもてなかったのである。私は金子弁理士からもいろいろ学びながら事務所で仕事をしていた。

金子弁理士は、受験機関でアルバイトもしていた。金子弁理士は私の受験機関での成績も知っていたのである。

ここで、当時の資格試験のあらましを説明しておく。

昔の弁理士試験は、今より科目数が多く、厳しかった。

一次試験、つまり「多肢選択式試験」、その合格者を対象に二次試験があった。「多肢選択式試験」とは、問題として、いくつか文章が書いてある多数の枝が出されて、正解の枝を選ぶ試験である。これに対して「短答式」と呼ぶ場合は、選択する記述された枝に、正解が必ずある。「多肢選択式試験」の場合、正しい枝がないことがある。つまり、0解もあるというものである。

二次試験の論文試験は、特許、実用新案、意匠、商標、の各法律と知的財産に関する（国際）条約類の5科目が必須科目で、それに、41科目の多くから3つ選んだ3科目の選択科目の、全部で8科目の論文試験が課された。

必須5科目は、誰でも共通に受けなければならず、1科目2時間で2日間、2日目に3科目受けなければならなかった。その後、選択科目の日が配されて、全部で最長1週間の試験であった。

論文試験の合格者は全国で100名弱、試験全体で3％程度の合格率であった。論文試験の合格者には三次試験が課される。

この頃の弁理士試験は、1年の合格者が100人いなかった。

よく、物の本などで、理系の弁理士と文系の弁理士で、何か難易度が違う2通りの資格試験があるように書いてあるのを見かけるが、誤解だと思う。弁理士試験に理系も文系もない。ただ一種類の試験しかないのである。

たしかに、選択科目で多くの理系科目があり、かくいう私も理系の科目をひとつとったことがあったが、選択科目は誰がどのような科目をとっても自由であり、試験自体に二種類あるわけではない。

この事務所には、中川という先輩がいた。私はよく、先輩と調査に行かされた。

中川先輩は、誰もいないのに壁に向かって笑ったり、しゃべっていることがあり、不思議に思った。彼は、事務所に帰ると古い人に叱られていることが多く、「おまえなんかやめて田舎に帰れ」といわれるのを、よく目撃した。

中川先輩も弁理士試験を受けていたが、成績はあまり良くはなかった。その割に私の成績の結果はよく見ていて、私がたまに良い成績をとると「何番とっていたでしょう」といったものである。「答練会」の成績のことであるが、「答練会」については、後で説明する。

金子弁理士が、近くに自分の事務所をひらいた。うちの事務所からの外注に便利なように、私が勤務する事務所のそばである。またそこは、彼の初めての顧客であるかつらメーカーの研究所のそばであった。

私は、金子弁理士にいろいろ教えてほしくて、彼の事務所に移った。その頃の私は、仕事が覚えられれば何でも良かったのである。

私は家に帰ると、毎日、夜3、4時間くらい勉強した。勉強期間は全部で3年くらいになる。私は、最初の年に弁理士試験を受けて、一次試験の多肢選択式試験に合格でき、二次試験の論文試験で当然落ちた。翌年は、当然、論文試験にも受かろうと思ったが、どういうわけか多肢で落ちてしまった。

その年は初戦敗退なので、それ以上は進めない。それだけではない。多肢で落ちているのだから、「一人前の受験生ですらない」といわれた。

それからずっと、そういわれながら勉強を続けるしかなかった。

翌年、私は悩んだ。また落ちるかもしれない。2年目のとき、頑張って最後まで受かるつもりであったが、最初の1次試験で落ちてしまったのである。今年も落ちるかもしれない…。

私はその年、仕事を辞める決意をして、先生に相談した。

日曜日のゼミでは、私は立って、皆のほうを向いて話すようにいわれた。

「私は、仕事より、勉強のほうが大事だ」

「私は次の試験で絶対受かる」

みんなの前でいわされたのである。

いま思うと、ゼミの先生は私に覚悟させたかったのであろう。

資格試験に合格するのは大事なことであるが、もっと大事なのは、仕事ができるようになることである。試験に合格しても仕事が出来ない人をたくさん見てきた。

そういう人は、一生惨めである。信用されないから、お客さんに呼んでもらえないのである。弁理士資格は、単なる「ライセンス」であり、弁理士のライセンスには、ほとんど価値がないと思われる。「資格」があるだけで、「特許」をとる力がないのであれば、「商標」の専門家でないかぎり、お金を払って雇う意味がない。

だから、「資格」をもっているだけで収入を得ている人を見かけるが、法律を犯していることにはならないが、盗んでいることと変わりはない。お金を払って資格がある人間を雇っても、まったく意味がない。

物の本によると、現在でも弁理士資格は難関試験だといわれているが、非常に深い法律知識は、資格を取るには必要ない。深い法律知識などものの本で学べないし、役に立つ実際の知識が、本に出ているわけではないのである。

極論すれば、特許出願は自分でやればいいのである。弁理士としての価値は、出願人が自分でやるより、担当弁理士のほうが優れていると思うからに他ならない。

そうなるためには、実務で経験を積むことである。

問題の技術が特許をとれるかどうか判断できないといけないし、あるいは、特許をとるためにはどうすればいいか、特許訴訟に勝つにはどうすればいいか、その手段を知っていなければならない。そのためには、誰よりも詳しく知的財産関連法の知識が必要である。

そういう能力は、資格試験とは全然関係ないのである。よい特許をとる腕がなければ、クライアントは得られないし、クライアントがなければ、弁理士など意味がないのである。

資格だけあっても、全く意味がない。そういうことを、人々は知らなければならないし、そういうことを知らない人が多すぎる。企業の知財部の人は、そのことをよく知っている。そのために、彼らは弁理士に格差をつけて考えているのである。

具体的には、仕事ができて、それにより他人からお金がもらえるようにならなければならない。事業所はそういう人を雇う。お金を得られない人は、雇われない。当然のことである。

弁理士とは本質的に理系の資格だと私は思う。

理系の分野に関心がない人は、商標弁理士になるのでないかぎり、資格は取らないほうがいい。本人が勘違いしていては後で苦労するし、業務でたくさんあるいわゆる「打ち合わせ」でわからないことが多く、そしてなにより、技術者の苦労を理解できないからである。

「電気」や「機械」など自分が出願する分野の基本的な知識がないと発明者に信用されないし、なによりも好かれないから、出願の打ち合わせに呼んでもらえない。

一人前の年齢になっても信頼される人に変われないでいるのに、「資格」をたてに、空威張りだけする人を、私は見たことがある。

仕事ができなければ、クライアントが獲得できないから、自分で開業することはできないし、他の人がクライアントを獲得しても、そのクライアントから仕事をとれない。

みじめな人生を送ることになるので、そういう人は資格などとらないほうがいいのである。もちろん、年齢が若ければ、資格をとったあと、勉強してもいいと思う。ただ、あくまでも「仕事」をするための資格である。

また、最近は、コンピュータ関連の発明が多い。

だから、コンピュータの知識が必要かもしれないが、コンピュータの知識があっても、それだけでは決定的にたりないのである。なぜなら、従来の電気や機械の工夫に加えて、コンピュータの工夫がされている発明が大半だから、コンピュータの知識だけでは、発明を理解できないのである。

そのような人が信用されないのは当然である。

これと関連するかもしれない。

弁理士として要求される能力は、電気も機械も、基本的には独学に負う。

この国では、生まれながらにして身につける言語、すなわち、日本語で何でも学べるアジアでは希有な国である。松下（今のパナソニック）やソニーが、電気の教科書や問題集を出しているので、それらを買えば、だれでも学ぶことができる。これらの教科書等を使って、ずいぶん学ぶことができるのである。

ソニーや松下は、企業自体が高等教育の学校を持っている。事実、ある特許事務所の経営者は、集団就職で地方から出てきて、昼間働きながら、夜このような学校を卒業した人であった。

また、私も社会に出てから、ＮＨＫの「カラーテレビ教科書」みたいな本を読んで、初めてその仕組みを知ることができた。

あるいは、オーム社などが、機構学や図学の専門書など、良い本をたくさん出している。日本には良書がたくさんあって本屋も多い。日本語が読めれば、専門的な本はあるのである。そのような意味では、「出版不況」は大きなマイナスだと思う。これからは、このような本を出版する出版社は出てきにくいだろう。この国の進歩は、止まるかもしれない。

私は年明けから、事務所に出なかった。

先生と私との約束では、半年、つまり試験が終わるまで無給の休みをもらうことだった。その間は、事務所に出なくてもよいというものだった。

その年も答練会が始った。「答練会」とは、答案練習会の略で、特許、実用新案、意匠、商標、条約、の必須5科目について行われる。

1週間に1法、1科目について1時間、本番と同じに、予想した2問について、論文式の答案を書く。

ひとつの問題について、ひとつひとつ答案を本番と同様に書き、採点してもらい、かつ順位をつけるのである。

順位は毎週つく。それだけではなく、特、実、意、商、条、の5科目の最初の一回が終わったときを1ラウンドとして、ラウンドごとに順位がつく。また、最後に3つのラウンドを総合して、全ての順位をつける。

全部で3回、すなわち、3ラウンドまで行い、5月で終了する。答練会が終わる頃、その年の弁理士試験が始まるのである。

答練会には、700人くらいがエントリーしていた。最初の年の答練会で、私は600番台であり、ひどいものだった。お話にもならない。

2年目では、250番くらいであったが、これも可能性がないのは明らかであった。

3年目の第1ラウンドで、私は22番だった。これは、なかなかいい成績である。第2ラウンドでは、38番であった。

第3ラウンドが終わり、総合成績が出て、大阪会場の女性が1番であった。私は東京会場であったが、第3ラウンドは2番だった。総合で8位である。合格が近づいてきた。

問題は選択科目だった。

必須がある程度できている者を集めて、選択科目のゼミを組んだ。長時間いても追い出されない、値段が高い喫茶店に集まって基本書を読み、その範囲の答案を書くというゼミをやった。まだ、答練会が始まる前、「行政法」の選択科目のゼミのときだったと思う。私は、おもいきってゼミの仲間に聞いた。

「このようなゼミに通って基本書をいくら読んでも答案が書けないんだけど、どうしたらいいんだろう」

友人はビックリしたように目を見開いて言った。

「今頃そんなことを言っていたら、次の試験には受からないよ」

試験に受からないのなら、ゼミにいても仕方ない。私は選択のゼミを辞めることにした。

ゼミを辞めても、選択の試験はなくならない。なんとか選択の試験には受からなくてはならない。でも、選択のゼミはやめてしまった。どうすればいいのだろう。

私は、目的もなく本屋へ行った。

そんなとき、「1000字式」という、司法試験の過去問の解答を売っているのを目にした。

私は、弁理士試験の過去の問題と、該当する司法試験の過去問とが一致していることに気づいた。弁理士試験の過去問は売っていないけれど、司法試験の過去問は売っているのだった。

「そうだ、これを覚えればいいのだ」

そういえば、弁理士試験の必須科目の優秀答案は約2000字、ところが、これは1000字式である。覚えられるはずだ。

「暗記」というと、一言一句覚えなければならないようだが、普通そんなことはできないだろうと思う。「暗記」というのは、極端な表現をしただけで、実際には論点を頭にたたき込むのである。

かくして、選択科目一法につき約一ヶ月強、3つの科目で、約4ヶ月弱の期間で、司法試験の模範解答20年分を覚えたのである。

後で、友人にその話をすると
「それは、法律の勉強ではない」

といった。

そうかもしれない。確かに、まともな法律の勉強ではないかもしれない。でも、法律はもともと人間が考えたものである。だから、自然現象を扱う学問のように、結果がわからないものではない。

どんなに理屈が難しくても、答えは最初からあるのである。したがって、勉強しにくくても、少なくとも法律の勉強で良い成績を取ることは、そんなに困難なことではないと思う。

また、資格試験なので、誤った採点をしてはいけない。正しいか誤っているかが分るということは、最初から正しい答えは一つであることが前提なので、答えは決まっているのである。それ以外は全て、誤りである。たとえ論文試験の問題であっても、誤答を経て正答を答えている場合、あきらかにまちがっていたり、理屈のながれが不自然だったり、無理があったりしているので、採点している人にはそれが分るのである。

私は、後に、資格試験の試験委員をしたから分るのであるが、少なくともその場合、良い点はつかない。大変なのは、資格を取った後、実務で問題に直面した場合である。今度は正解がない。自分で結果を考えて、行動しなければならない。

ゼミの責任者を、「ゼミ長」といった。

「ゼミ長」が今週のゼミは何曜の何時からあると皆に告げる。

当日、約束の時間に皆が集まったところで、「ゼミ長」が、重要な発表があると告げる。

こんな勉強をしていたら、無駄が多くて、試験には受からないといい出したのである。みんな、口々に自分もそう思っていたといい出す。結局、そのゼミは解散になった。

ゼミは解散になったと思う人は、もうゼミには来ない。しかし、ある人を除いて、他の人はゼミを続けているのである。ゼミの偽装解散の例である。ゼミ員の中で、邪魔な人を除くのである。邪魔な人とは、自分の事務所の話、自分の手柄、そのようなことを熱心に話すクセがある人がいる。そのような話は合格の役にたたない。時間の無駄である。そのような人がいるゼミは、合格者がでない。

迎えた論文試験。

必須科目が終わった時点で、トップから10番以内だったので受かったと思った。しかし、選択科目が終わった頃、自信はなくなっていた。

土曜日、私はその日、試験はもうなかった。先生から自宅に電話が掛かってきた。私が電話に出ると

「試験終わったのなら、事務所に来い。仕事がたまっているぞ」

その年の合格発表の日、事務所で仕事をしていた。

「早く発表を見てこい。落ち着かないだろう」

「はい、行ってきます」

私はそういって事務所を出たが、桜田門の駅のベンチに座って、立てないでいた。

「落ちているのを確認して、また勉強するんだ」

私はそう思い直して、駅の階段を上がった。


向こうから来るゼミの友人が、手で大きく×を作って、すれ違って行った。法務省の合同庁舎の合格発表の掲示板の前に、受験機関関係の人がいた。この年、特許庁舎は建て直しで使えず、法務省の庁舎を借りていた。

いつも、答練会で、偉そうに講評等をする人が、掲示板を見て、言った。

「おお、岡崎君、受かっているぞ」

自分で見たかった。私はそう思った。私は30歳になる頃に資格を得たのである。

試験に受かっても実感がなく、また家へ帰ると、「勉強しなきゃ」と思った。

「何を勉強するんだ？」

勉強するのが習慣になっていたのである。結局3年間勉強した。

思えば、私は、幼い頃、試験を受けたところ知能指数ＩＱが８０くらいしかなかったらしい。自分では分らないが両親がそういっていた。なので幼い頃、「おまえは、知能指数が低い」といわれていた。それも、兄弟より飛び抜けて低かったらしい。

そういわれても、幼い私には実感がなかった。同い年の周囲と同じように、友達もできたし、同様に過ごし、成長したと思う。

年齢が低い頃は成績がよくなかったことは、おぼろげながら覚えている。成績はだんだん上がったのである。どれくらいの年齢かは覚えていない。

学校にあがる頃、先生は当時の特殊学級のほうが向いてると考えていた節がある。

人間の脳は不思議である。あまり幼いうちに限界を決めてしまうのは、良くないのではないか。ただ、小学校の低学年の頃、覚えていることがある。

通信簿に「……いつも、ニコニコして、誰にでも親切であり、好感がもてる」という趣旨のことが書いてあった。

その通信簿を前に、父にひどく怒られた。

「お前、これは褒めているのではないぞ、お前を情けないといっているのだ」

私はショックだった。

私は、「親切である」というのは、「良いこと」だと思っていた。しかし、父に怒られたのである。今考えると、先生の意図は違ったのではないかと思う。父親の考えは先生の意図と正反対で、先生は、そのようには考えていなかったのである。父は一種の被害妄想だったのである。しかし、私は、父を怒らせたので、非常に申し訳ない気がした。私の成績が悪かったことで、父にきまり悪い思いをさせたと思ったのである。

以来、私は勉強するようになり、成績は上がっていったのである。

試験に受かると、いろんな派閥で合格祝賀会があった。私が受かったので、姉の事務所のボスが、合格祝賀会に出席してくれた。

「今年、受かったのだろう。では、今日は行ってあげないと」

私は非常に嬉しかった。まさか、こんな日が訪れようとは夢にも思わなかったのである。

私は、合格後、講師として日曜のゼミを受け持つことになった。順番である。

私は新しいゼミを講師として勤めるため、その日曜日も朝、皆が書く論文の問題をゼミ長に電話で伝えてから会場へ向かい、皆が書いた論文を集めて、午後から講義をする予定であった。

朝、ゼミ長から自宅に電話があって、起こされた。

「おはようございます。先生、テレビをつけてください」

私のゼミのゼミ長である。

「え、つけたけど何？」

「もうおわかりでしょう、天皇陛下がなくなったのですよ」

昭和は終わったのである。昭和６４年は1週間しかなかった。テレビがそう告げていた。

「ということで、先生、今日のゼミはやるのですか？」

「天皇陛下が亡くなってもゼミとは関係ない。やります」

6　クライアント

アメリカの「テキサス・インスツルメント」という会社（以下、ＴＩという）は、「キルビー特許」の権利を行使していた。

キルビーというのは人の名前で、キルビーさんが「ＩＣ＝インテグレット・サーキット」、すなわち、「集積回路」の発明をしたのであり、キルビーさんはＴＩに属していた。キルビーさんは、ＩＣを発明したことによりノーベル賞を受けている。

ＴＩの本業は極端な赤字だったが、「キルビー特許」の実施料等により、ＴＩは、膨大な利益を得ていた。倒産を避けられたのである。大企業が必死になって、良い特許をとろうとするわけは、このためである。

ＴＩは、ＩＣを使った製品は全て特許侵害だと主張していた。ひとつの基盤に複数の電子部品を搭載したら、集積回路だというのである。ＴＩの主張である。

「レーガノミクス」では、「プロ・パテント」政策が進展し、これによって、アメリカの競争力は非常に高まった。「ジャパン・アズ・ナンバーワン」の日本を、叩き潰したのである。

アメリカの勝利であった。もっとも、第２次大戦以降、日本は、アメリカに逆らう気はないのであるが。

「そんなこと、言って来ているのですか」

課長は渋い顔して、うなずいた。

「仮保護の権利も放棄しろと、いうのだよ」

「ひどいですね」

アメリカの代理人弁護士は、主な日本企業相手に、特許の権利行使を盛大に行っていた。特許を出願すると審査があって、審査を通ると特許権とほとんど同じ権利が「仮保護権」として、発生する。「仮保護権」は独占権だった。でも、それをＴＩは放棄しろといってきているのだった。

「こっちの特許でほしいものを提供する、といったのですか？」

「それがね、先方は、あんたの特許はどれもほしくない」

といううんだよ。

「むこうは、とにかく金を払ってから、製造を止めろ」

と。

「私は、依頼人から金額について交渉するギャランティーはもらっていない」

とアメリカの弁護士はいうのだよ。

「だから、あなたに、やめてくれというだけだと」

「こちらの特許を使わせることを条件に、もっと安くならないかといったらどうだろう」

課長は渋い顔で、

「弁護士がいうには、だから、あなたの特許には全く興味がないと先方はいっている……止めてくれとだけ」

全ての特許に興味がないといわれると、私は、普段何のために働いているのか分らなくなって、情けなくなる。

課長はいった。

「よい特許を持っているメーカーには、金額がかなり安くなっているらしい」

「それでも、差し出した特許全てに対して、向こうはたった1件の特許を許諾する条件で折り合ったらしい」
「でも、こちらの特許は、まったくいらないから、とにかく止めろと」
「権利対象になっているＩＣを使っていない製品なんてないものね」
「抗弁はできないんでしょう」
彼がいうには
「後でひどい目に遭うのが覚悟できればね」
「ほんとうに困った」

有名な「キルビー特許」はなかなか日本では成立しなかった。行政機関である特許庁で特許が拒絶されるたびに、裁判所で「審決取消訴訟」という裁判に持ち込んで、争う。そのたびに、特許庁の審査結果はひっくり返った。そして、その度にＴＩは日本の特許事務所を変える。実際には、当時有名な特許事務所を行ったり来たりしていたのである（実は、同じビルの上と下を、書類が台車で往復していたのだが、遠くのアメリカからは見えない）。
「キルビー特許」が認められた後、すなわち、特許庁の処分が裁判所で取り消されて、再び事件が特許庁の審判に戻った後、特許庁の審判官が退官したという。責任を取ったのだろう。真相は分らない。

この例でも分るように、特許は国の産業施策に深く関わる。

特許制度が整備されていない国は安心できないので、外国からの投資はされないのである。インフラは整備されないし、先進国にはなれない。

特許は、業界では、1000件出願するとそのうち20から30件くらい、お金になる特許があるという。つまり、他社に実施権を設定して、実施料が入るなどということである。

ところが、不思議なことに、100件出願しても、同じ割合、つまり、2から3件くらい特許がとれるということはないとされる。1件もいい特許はとれないのである。

まあ、これは分野によるだろうが、電気や自動車はそうである。

一般に、製造プロセスは、明らかになりにくいので、製造方法の特許は出さない傾向がある。機械産業も注文品が多く、工場の奥深くに装置は置かれていて見えないので、同様の傾向がある。

東北大学の総長をした人で、米国の電気電子協会（IEEE）から、ジャック・イー・モートン賞およびエジソン・メダルを受けた「西澤潤一」という人がいる。ノーベル物理学賞の候補にもなった人で、受賞しなかったことが、奇跡である。

高出力のLEDを発明し、光ケーブルを作った人で、たくさんの特許を取っている。アメリカの研究者から、「日本にニシザワという研究者は何人いるんだ？」といわれるほどだけれど、一人で「光通信」を完成した人である。

彼は、名だたる日本の大企業数社に、特許の実施権を設定したが、０・数％という信じられないくらい低廉な金額で実施を認めた。日本にいろいろな産業を開始させた人だった。

その日は、この企業のマスマス月間の日（特許を増す日）であった。

「マスマス月間」の日、廊下に長蛇の列ができた。「マスマス月間」とは、特許の候補になる発明をした人が、その企業の指定場所に来所し、出願を担当する事務所の人と相談する日である。相談は一日中行われる。企業はそのようなキャンペーンを打って、会社のために強制的に特許の提案をさせていた。

並んだ人達の提案を順番に聞くために、部屋の中に横長の机をおいて、真ん中に私、右隣は企業の特許課長、左隣は私の同僚、と横並びになっていた。

私達はノートを開き、発明者の所属と名前をメモし、発明の内容を聞き取っていた。一人１５分くらいである。

「マスマス月間」は秋に設けられ、この日には、工場の技術者は発明を持ち寄り、ならぶ。個々の技術者にとっては一年の締めくくりである。いわゆる「ノルマ」であり、「ノルマ」はボーナスにも影響する。


会社の課長の人が揶揄するようにいった。

「特許屋さん、また来たの？」

「いいなあ、特許屋さんは楽で」

「オレも特許屋さんになればよかったなあ」

まあ、あまり楽ではないが……。

一日中いろんな発明の中身を聞いて、一人約30件くらい、3人で約100件くらい聞き出した。これを、約3ヶ月で出願しなければならない。帰ってからが大変である。

でも、この課長がいってくれた。

「私は、岡崎さんの（特許）明細書、好きですよ。こうやって書けばいいのですよ」

私の書いたものを認めてくれる人が出てきたのである。

毎日のように、「LED信号灯」という特許明細書を書いた。この頃、いまはやりのLEDはさかんに特許出願していたのである。

同じ頃、液晶や、そのバックライトをたくさん、特許出願していた。

事務所の近くにかつらメーカーの研究所があった。かつらメーカーも特許出願に力を入れていたのである。そのメーカーの本社へは、毎日のように行った。

このメーカーは私のかつての事務所の先生の最初のお客さまであり、私を初めて顧問にしてくれた会社である。その頃、このメーカーの宣伝をしていたのは、売り出し中の女優である。私はこのメーカーへお使いに行かせられるたびに、この女優と顔を合わせた。メーカーのビルのエレベーターが開くたびに、その女優に会うのである。

いつしか、顔見知りになり、言葉を交わすようになったが、残念ながら、それ以上は発展しなかった。

昭和の終わり頃、「液晶」、「LED」、「EL」など、近年の大型表示装置、例えば薄型テレビに使われるものを特許出願していた。

「液晶」は、状態をいい、液体と結晶の両方の性質をもつものである。液体で、結晶の性質を示すのである。

2枚のガラス基板の内側に透明電極を格子状に形成し、「液晶セル」を入れる。電極に電気を通すと、あらかじめ決めた交点の液晶セルが立ち上がり、背後の光を通す。シャッターの役割を果たすわけである。

背後にLEDを配置して、カラーフィルターを置く。いわゆるカラーテレビの原理である。

これに対して「EL」は全く原理が異なる。電気の正孔と電子が結びついて「面状に発光」する。「EL素子」には、さまざまな素材が使われる。

審決取消訴訟の代理人になった。訴訟代理もはじめてである。

「かつら」の特許の無効審判を請求されたのである。勝った審決を取り消す旨の訴訟を請求されて、その訴訟の被告代理人になったわけである。

裁判所に行くと、裁判官が準備書面を拡げていた。

一般に知られていないが、口頭弁論で発言することは、全て書面に書かなければならない。後で、「準備書面どおり陳述します」というと、法廷で準備書面に書いたことを口頭でいったことになる。これで、口頭弁論主義という原則を守ったことになるらしい。

この頃は、ワープロがあまり普及していないので、フロッピー等を提出させなかった。

原告の代理人になったときのこと。裁判官が、書面を見ながら言った。「次からの記載は必要ですか」。私が「いりません」というと、「では、削除」といって線を引く。消すのである。そういうやりとりをして、線を引いていく。完成してみると、準備書面は線だらけになる。残った記載が原告の主張である。その主張に、裁判所の判断を示すと、判決書きになった。そうやって、裁判は終わるのである。

何が何だか分からないかもしれない。少しも面白くない。本当の裁判はつまらないのである。これではドラマにならないので、テレビではいろいろ創作しているが、実際は、あんなことはない。もっともいまは、書面もワープロで作っているから、それを提出させ、全部印刷して、その後に裁判所の判断を書いている。やたら長いけど、簡単で漏れがない。裁判官も判決を書かなくていいので、楽である。

特許の侵害訴訟の補佐人にもなった。

現在は、特定侵害訴訟の代理人にもなれるが、実態はたいして変わらないと思う。

特許は、特許明細書に初めから書かれていたことに限定して権利が付与される。一方、逆に、特許明細書に書いてあったのに、それに反して必要以上に限定して解釈してはならないという原則がある。このとき裁判所はその原則を犯したらしい。この事件では、そういう問題があった。

私が、かつらメーカーの顧問になったある日、顧問先の特許をあるメーカーが真似していると思われた。事務所の先生と私がその製品を調べたところ、「特許権侵害」だと思われたので、そのメーカーに警告した。

そのメーカーの代理人の弁理士が会いたいという。あらためて、その弁理士にある場所で会った。相手の弁理士は私たちを見ると、なにやら雑誌のようなものをチラッと見せた。

「これ以上、侵害をいうと、出るとこへ出るぞ」

「というと?」

相手は、こちらをにらむように言った。

「無効審判だよ」

ニヤリと笑った。特許を取り消すというのである。

「無効にできる証拠なら、ちゃんと見せればいいじゃないか」

というと、

「見せたら、審判の中身を先に見せるのと同じじゃないか」

と答える。

「無効にできる証拠なのか」

「度胸試しに、やってみればいいじゃないか」

「それ雑誌みたいだけれど、いつ発行されたもの？」

「間違いなく、出願前に発行されたことを、証明できる自信がある」

つまり、これを証拠として、審判で無効にできるというのである。


私たちは相談した結果、裁判することにした。

間違いがあってはいけないので、話し合った結果、当時日本で一番有名な特許専門の弁護士を訴訟代理人に選ぶことにして、裁判の第一日目を迎えた。

私は新米であり、末席に座った。

なれている人はわかると思うが、第一日目は認否で終わるので、法廷はすぐ終わった。

ベテランの弁護士が私にいった。

「見たか？　相手を」

「見たかって、なにを？」

「最初は、お客を守るために出てくるんだな」

私は怪訝に思って聞いた。

「出てくるって、誰が？」

「○○先生だよ」

私は、初めて聞く名前に不思議な感じがした。

「え、そんな名前知らない」

「日本で初めて、女性で弁理士になった人だよ」

「え、女性！」

私はビックリして聞いた。

「男の人、しかいませんでしたよ」

「帽子を被って、黒いスーツを着て、きちんとネクタイをした紳士でしょ」

弁護士が言った。

「あれは、女性だよ」

「男の格好をしているんだよ」

昔は、この仕事をする人は、男性しかいなかったのである。

　裁判は勝った。結局相手は、無効審判はしてこなかった。はったりだったようである。

　私は、特許明細書も書いた。

「特許明細書」略して「明細書」とは、発明の内容を説明した書面である。出願するとき必ずださなくてはいけないことになっている。

先生が企業へ行って、発明の内容を聞き、それを私が聞く。

私は、外注さんに明細書の作成を依頼する。このとき、自分も明細書を書くのである。

外注さんの明細書が完成すると、自分が書いた明細書と比べる。外注さんが書いていて、自分が書き漏らした点があれば、その点が学べるのである。そういうことを何年もやっていれば、明細書が書けるようになるのである。

それで、あるとき先生に、

「これは自分で明細書を書けると思う」

というと、先生が、

「じゃあ、書いてみろ」

そういわれれば、チャンスである。書いて、先生に見てもらえるからである。

ほとんどの場合、あまりご機嫌がよくない。でも相手も人の子である。時間があれば、読んでくれるのである。

私が勤めていた事務所は、金子弁理士が作ったものだが、事務所は1度途絶える。その以前の事務所を、河津弁理士という人が経営していたところ、河津弁理士は金子弁理士に名前を貸していて、当時、難しい案件は、河津弁理士が外注のような形で関わっていた。

その事務所に、後の首相も居たのである。そんな関係で、私は河津弁理士に会ったことがある。河津弁理士は、昔、化学系の大きな企業の特許部長をしていた。彼は、自分が弁理士試験を受けたときの話をしてくれた。

その年、ひとりの試験委員が、自分の大学の受験生に試験問題をバラしてしまったのである。そのことが明らかになって、十二月にその年の弁理士試験をやりなおしたのである。河津弁理士は、その十二月の試験で資格を取った。

私は、勤務している事務所では、商標をこなしながら特許もやった。

「商標をこなす」とは、商標の「意見書」を期限までに提出することである。

「意見書」とは、審査官が審査で「ダメだ」（拒絶理由）といったことに、反対する意見を述べた書面のことである。

ある週は、例えば次の特定の曜日までに、商標の意見書16件に特許の明細書もまとめねばならないといったスケジュールは、普通であった。

商標の意見書はたくさんあっても、商標が使用される商品として決められている指定商品を減縮できれば、つまり、マークを使用する商品を補正する用意があると審査官に告げると、補正書だけで済むのである。意見書の原稿を書くより確実で簡単なので、はるかに早いのである。

そういう日々を送っていた。

7 独立

そんなある日、意外なことがあった。事務所に来た先生の息子さんに、先生は
「勉強しないと、将来弁理士になって、事務所を継ぐことはできないよ」

それを耳にして、

「そうか、私は息子さんが事務所を継ぐまでのつなぎか」

少し分った気がした。私はいろんな仕事を覚えて、自分で事務所ができるようにしようと、あらためて思った。

それから何年かして、私は勤めている事務所を辞めて独立することになった。その間に、同僚だったAも辞めて、事務所の外注さんになっていた。彼は私のゼミの友人だった。

少しあとになって、友人の弁理士が私にクライアントがついたら勤めている大きな事務所を辞

めて、私と一緒になるといった。そこで彼との共同事務所にする予定だった。

そうはいっても計画だけで、私は東池袋の実家から通っていた。家賃がかからないよう、極力経費を切り詰めるためである。

当時私は、独立するのに200万円しか、かけられなかった。笑ってしまうほど少なかった。

起業を目指す人はどういう人かということについて、私の考えがある。

企業で働く人には、ある意味で、ビジネスマン（英語で、ビジネス・パーソン）と、サラリーマンの2種類がいて、両者は異なると思う。

ビジネスマンは、自分から仕事を見つけ、それをやっていく人のようである。ビジネスマンには、起業する人や企業のリーダーをやっている人が多い気がする。

サラリーマンは、ビジネスマンに雇われていて、いわれた仕事を全力でやる義務を課されている人で、サラリーマンは、やがてビジネスマンになる人が多い。

たぶん、ビジネス書を読む人は、このビジネスマンに限らず、多くのサラリーマンが読むのではないだろうか。

誤解しないでほしいのだが、サラリーマンよりビジネスマンが難しいとは、けっして思わない。

えらいとも全然思わない。どちらを選ぶかは、その人の生き方に関する考え方の違いだと思う。

でも、多くの人が起業したいと、思っているようである。

ビジネスマンが成功するためには、「勉強しろ」という。それはけっして誤りではないと思うが、「勉強」ということの意味が難しくてわかりにくい。「勉強」とは、例えば、本を読んで知識を仕入れることばかりではない。

「特許ビジネス」の場合、ビジネスマンのつとめは、起業した分野のニーズはなにか、ということを追求することではないかと思う。そして、そのニーズを解決する方法を研究することである。たぶん、それを「勉強」と言っているのである。


顧客はニーズを解決できる人を探している。その意味で、「営業」は大事である。

特定の顧客のニーズを知り、解決方法を追求すること。それはすべて、特許を出願する顧客、あるいは特許侵害といわれた顧客、の所にあるのである。

だから、いつも顧客とともにあることが大事だし、顧客が会いたいと思うような努力をしなければいけないのではないか。

とにかく、顧客が「会いたい」といつも思い、なにか相談事があれば、解決してもらえると思われるようにならなければならない。

とまあ、そこまでは、普通である。大変なのは、その先である。大事なのは、その企業が、どういう問題を抱えているか、起業した人は探らなければならないということである。

分野は特許であるから、その企業がどのような特許問題を抱えているかを探すのである。これが一番難しい。

問題はライバル企業との間にあるかもしれない。あるいは内部に抱えているのかもしれない。いろいろあると思うので、ここでは特定できない。勘で分るときもあるが、多くは調査しないとわからないし、なにを調査するか難しい。

また、一般に、問題を特定されるのを、当事者は嫌がるのが普通である。でも、この問題が分らないと、なにを解決したらいいか分らない。

クライアントは問題を解決出来る人を探しているのである。だから、問題が分った先には、その解決方法を見いだすという困難な課題がある。それが出来て初めて、クライアントを獲得できるのである。

お客さんと常に会って、問題を知らなければならないし、ともに悩まなければ解決出来ないのである。

私は、特許の実務を身につけるうちに、自分で特許という仕事を取りたいと願うようになった。つまり、特許事務所を自分で経営したいと思うようになったのである。

はたして、開業して、私は早速だまされた。

相談を受けて、8件の特許の依頼があり、代金をもらわずに、依頼人に会った。

依頼人は、外車を当時の私の事務所（神楽坂）の前につけ、私に会った。単純縄田氏は、景気のいい人だと思ったのである。

彼は、特許明細書を見ないと判断できないから、FAXで明細書を送ってくれという。私はいわれるとおり、すぐに送った。

でも、なんかおかしなものを感じ、ある人に相談すると、「これは、だまされているかもしれない」といわれ、私も変だと思って調べると、依頼人は特許の詐欺で刑務所に入っていたことが解った。

「すぐ仕事が来た」と思って焦った私は、だまされるところだったのである。

最初は、クライアントなどないので、正式な特許事務所としての仕事などない。あたりまえである。

そこで、ゼミの先生を頼って、外注の仕事がほしいと言って回った。

「ちゃぶだい」の上に当時の言葉で、「ラップトップ」を開いて外注の仕事をした。フロッピーで、書類を作るのである。

いくつかの弁理士試験の受験機関に行って、アルバイトがないか聞いてまわった。

そのうち、私が教えているゼミの生徒が、自分が勤めている事務所に口をきいてくれて、そこからも外注の仕事が来るようになった。その事務所の所長は、私の大学の先輩だったことも好都合だった。

また、昔ゼミで教えてもらった先生の事務所からも、外注の仕事がくるようになった。なにより嬉しかったのは、その先生が、「おまえがやった仕事はなかなかいい」と評価してくれたことである。その先生は、あの後ろを向いて、「この一年は、仕事より、勉強を頑張るといえ」と、指導してくれた先生である。


これは、アルバイトのひとつだが、受験機関からも答練会の答案の採点の仕事がきた。答案を採点すると、一通いくらという仕事である。その受験機関の採点での話である。

私は、採点が終わった答案を持って、受験機関に行った。先輩弁理士が答案を見て、得点配分を決めていたときのことである。私が採点した答案を見て先輩弁理士が舌打ちをした。

大阪の答案は東京の答案より大幅に甘くつけないと意欲を失うから、もっと気をつけて点数をつけるようにと、その先輩弁理士からいわれた。ということは、私が受かった年、私は3ラウンドが終わったとき、2番ではなく、1番だったのである。

私は独立した後、いろいろなアルバイトをした結果、その収入は勤めているときより良くなったのは、皮肉なことである。

その上、ある地方銀行が突然たずねてきて、1000万円貸すという。

そんなお金を借りても、正式な仕事がない私には返すあてがないので、お断りをした。断ってもその銀行はしつこかった。

独立後、私は勤めているときに知り合った人で、ガス器具の会社であるA社に就職した人に会いに行った。その人とは顔見知りであったから、顔を合わせると特許の話をし、一緒に会った上司とも会話した。電車で帰る途中新宿で降り、パチンコをして自分の事務所に戻った。

留守電を聞いたとき、驚いた。その日行ったA社から、出願の依頼の電話が来たのである。それが、初めての私のお客だった。

特許事務所を開いたといっても、30歳そこそこの人間に、会社の大事な発明の中身を話し、権利化を任せるのである。

今考えても不思議な気がする。賠償能力などないのである。よく信用してくれたと思うが、当時は夢中であった。

それからまもなく、事務所にB社の人が来た。その人も、勤めていたときに、仕事がらみで知り合った人で、独立したら連絡するようにいわれていた人である。

彼とは、その後何十年も付き合うことになるが、そのときはまだ分らない。

彼は上司といっしょに来た。

「先生は商標だけでなく、特許もこなせると聞くが」

「もちろん、特許は得意です」

「裁判も経験があるのでしょう」

「裁判は審決取り消し訴訟も、侵害訴訟も経験があります」

「なるほど」

「まあ、若い人同士、気楽にやりなさい」

私の受け答えは全く取り柄がなく、いいところは皆無であった。ところが、このお客さんから電話があり、

「先生は、うちの顧問に決まりました」

といわれた。

何が功を奏したのか分らなかったが、どうやらうまくいったらしい。

ここで、一般になじみのない「顧問」というものを説明しておく。出願代理ではなく、「顧問」というのは相談業務と関連がある。

普通「相談」は、一回いくらとか、時間いくらとか決まっている。ところが「顧問契約」をすると、毎月顧問料が入る代わりに、当然ながら、この料金はないのである。「顧問契約」をすると、相手の相談はいつでもしてよく、相談したいときはいつでも事務所に来る。月のうち決められた時間は、相談料がかからない。

私との契約は、時間の制限はなく、いつ、どんな相談でもよかった。当時のB社の担当者と歳が近く、また、親しかったこともいい方向に働いていたのかもしれない。

私の場合、それだけでなく、仕事を依頼されたお客さんの利害が関係していること、例えば侵害関係などは、自分のことのように気になるから、いつも心配し、相談にのっていた。

独立してから程なく、父から、退職した会社に挨拶に行きたいといわれ、一緒に新宿に行った。私の父は、有名な電気メーカーのC社に勤めていて、定年までいた。

C社には、3人の創業者がいて、そのうちの一人、Hさんがそのころ健保の理事長で、当時の営業棟に毎日出勤していた。

Hさんは、昔、父の上司だった。Hさんは、私を見ると、

「弁理士、弁理士、それは優秀だ」

というと、小声で父に、

「おまえ、いい息子もったな」

といった。父は少しうれしそうだった。

それからHさんは、社員棟から、特許部長などを呼び集め、

「この人は、昔の私の部下の息子さんだ」

といって皆さんに紹介してくれた。

それから、C社による試験がはじまった。その後、C社は、私の大事なクライアントになった。

「なんだ、試験するのか」と思うかもしれない。あたりまえである。あたらしく入れた人が失敗だったら、特許部の人達の責任になる。一方、他の人達には試験の機会さえないのである。

こうして、C社が私のお客さんになった。


私の翌年に弁理士に受かったパートナーと共同事務所を立ち上げたあとの平成4年に、サービスマーク（役務商標）の導入があった。新しい制度の導入はめったになく、開業したての事務所

にはチャンスであった。

そのサービスマークのお客さんをたくさん集めたが、出願するための印紙代の立て替えが出来ない。出願印紙代は高額なのである。

サービスマークの受付は平成4年であり、制度の最初の日に出願日を確保するには、その四月から十月までに出願しなければならないと決まっていた。出願日が早いほど審査では有利なのである。十月に全ての印紙代を払わなければならない。

しかたがないので、当時大手だった銀行に立て替えの印紙代を借りに行った。無担保である。

銀行のカウンターで名刺を出すと、支店長が名詞を見て、「これは、何か国の資格ですか?」と聞かれた。それくらい、当時は弁理士の知名度がなかったのである。

「何万円も貸すのなら担保がなければ……」と銀行の人はいう。

「担保といっても、土地もないし……」というと、銀行は「きょうび土地をもらってもね……」という。

「では、担保ってなんですか……」

と私が聞くと
「いま担保といえば、流動資産ですかね……」

と銀行はいった。

「流動資産って、もしかして、お金のことですか?」

と聞くと、

「そうです」

と銀行が答える。

「お金があれば、借金なんて申し込まないよ」

と思う。

いまではウソみたいな話である。ともあれ、私はパートナーとともに、M銀行で融資金を手にして運転資金を作り、飯田橋の富士見町で特許事務所を開業した。


私には友人がいた。彼とは20代からつきあっており、彼は特許の仕事をしていた。私は独立したら、彼と一緒に仕事をしたいと思っていた。そんな折、C社の試験、つまりトライアルはちょうどよかった。トライアルとは「試行期間」のことである。

私は「試行期間」にC社のテストをうけることになったのである。「試行期間」にこのテストに受からないとクライアントは得られない。この「トライアル」とは、かなり特殊な試験である。

普通、特許を出願する場合、発明者は自分が特許を得ようとする技術、すなわ、「発明」について「提案書」を書く。この「提案書」があればだが、この「提案書」を見ながら、知財部の担当者と一緒に弁理士が質問しつつ、発明者から詳しい内容の説明を聞き、「特許明細書」を書く。特許を取ろうとする場合、特許庁にこの「特許明細書」を必ず提出しなければならない。「打ち合わせ」といっているが、「面談」のことである。

出願後は、特許庁はこの「特許明細書」だけを見て、特許するかどうかを決めるのであり、例えば、見本などは一切見ない。

「試行期間」中の数ヶ月間、この「提案書」だけが会社から送られてくる。テストを受ける事務所は、発明者の話を聞くことなく、提案書を見ただけで、特許明細書を仕上げなければならない。

できた特許明細書を会社へ送り、会社では発明者と一緒に特許明細書の出来をチェックし、訂正があればそれを伝え、訂正を反映させて、テストを受けている事務所は特許庁に出願する。もちろん、事務所には会社から決まった出願料が支払われる。

この頃は、法改正前なので、「補正」つまり、出願してしまってから、出願した内容を修正することがかなり自由に行えた。いまでは信じられないくらいである。それ故、昔は、提案書を見ただけで出願し、事前に面談さえしないでことが運べたのである。

試験は、むつかしい仕事なので、私は、「提案書」を受け取ると友人に渡し、彼にまず明細書をかいてもらい、私がさらにこの特許明細書を書き足す。つまり、2重の手間をかけたのである。つまり、彼に外注さんと同じことをしてもらい、勤務時代一緒だった同僚にも、外注を頼んだ。人手を十分かけたのである。

私の友人の彼は、山岡さんといった。

トライアルの間は、特許部とは別の部である知財部の部長である鈴木さんから、依頼書に綴った「提案書」を受け取り、明細書を書いて鈴木さんに送るのである。

トライアルは6ヶ月あった。

こうして、鈴木さんから、トライアルの依頼書を受け取り、当時はファックスで、出来上がった特許明細書を送るという仕事をした。

夢中であった。C社は世界企業である。世界企業をお客にできるかもしれない。

トライアルの成功は事務所の運命を左右した。それと同時に、トライアルに成功すれば、山岡さんを事務所に招くことができる。またなによりも、仕事を受ければ、その分だけ収入になるのである。

依頼書でわからないことは、質問書を作って、鈴木さんに託した。

開発者との話し合い、つまり、打ち合わせは禁じられていたので、質問は気が引けた。そこでできるだけ質問しないようにしたが、どうしても分らないことは、聞くほかなかった。

トライアルの間は、打ち合わせはしないので、依頼書には、打ち合わせなしの発明報告書が添付された。符牒として「ＫＡＧＵＲＡ５０」と書いてあった。

「ＫＡＧＵＲＡ」とは、当時、神楽坂にあった私の事務所を意味し、「５０」とは、打ち合わせなし、という意味の符牒である。

トライアルで試されるのはそれだけではない。

鈴木さんから明細書の返事がかえってくると、返事の内容に合わせて訂正し、特許庁に出願する。

そのようなトライアルに合格すれば、打ち合わせしないでも、一応明細書をつくることができ、出願に必要な連絡もできて、正しく手続きできる事務所として、特許部に渡されるのである。

特許部と知財部がこの会社ではそれぞれ存在し、異なる組織である。知財部には、会ったこともない別の担当者がいた。

トライアルに合格すれば、特許部から知財部に管理が移り、以後は基本的に知財部のスタッフと一緒に開発者に会って発明の打ち合わせをし、事務所が理解できれば特許明細書のチェックなしに、できるだけ早く出願する。後述する「補正」の制限が厳しくなった現在では、考えられないことである。

特許法には、いまでもそうであるが、先願主義という厳しい原則があり、出願が早い者に特許がされる。

他社に勝つためには、いち早く出願しなければならなかったのであり、優秀な事務所を抱えた会社が勝利するという図式であった。だから、どこの企業も優秀な事務所を探していたのである。意匠や商標の専門である弁理士については、どのような能力が試されるのかは、私は経験していないので、知らない。

ただ、しばらく経つと、法改正もあり、出願後は、「補正」という特許明細書の訂正が非常にきびしくなり、発明者に特許明細書の内容を確認してもらわなくてはならなくなって、出願は、その分、遅れることになる。

そういうテストを経て、C社のトライアルに合格でき、山岡さんを事務所に迎えることができたのである。

私の事務所は、C社の「電子デバイス」が基本的な担当となり、主に、知財部の西上さんに属することになった。知財課長は吉崎さんである。

この頃、飯田橋の富士見町にオフィスを移転した。

ただ、オフィスが移っただけではやっていけない。仕事を取らなくてはいけないのである。

最初は、特許事務所を始めても、特許出願が特許庁に継続しているわけではない。つまり、最初の頃は、出願とは別に特許庁に依頼しなければならない審査請求をしても、特許庁で審査に何年もかかるのが普通であり、その間は新たな出願をして、出願料金を請求する以外、収入の道はなかった。

出願しても、審査を請求する手続きを別途しないと、特許になるかどうか審査してもらえない仕組みであり、報酬が入らない。

出願審査請求には、請求時に高額の印紙代を立て替えなければならない。この頃は、出願から7年以内に審査請求をしなければならないとする期限があった。審査に通れば、「公告決定」があり、「成功報酬」が得られた。

8 富士見町

毎週知財部では、新しい発明の「打ち合わせ」があった。「打ち合わせ」とは、この場合、開発者から直接新しい発明の内容を聞き、明細書の知識を得る面談のことである。

不思議に思うかもしれないが、大きな企業では常に新しい発明がされていて、出願をいち早くしなければならない。いまも、そうである。

事務所に在籍する明細書の書き手ごとに作った表を用意し、週のうち何曜日に打ち合わせができるか、○×を書いて企業に知らせる義務があった。これはC社だけである。「出番表」といった。「出番表」を毎週月曜日にファックスで入れると、C社の各事業所の技術担当者がそれを見て、都合がいいときに打ち合わせの予定を連絡してくるのである。

そういうこともあり、私の事務所は常に電子デバイスの出願であふれていた。電子デバイスといっても、この場合、「電子部品」くらいの意味である。

その上、顧問にしてくれた会社、すなわちB社に毎月一回行くことになっており、発明の出願があることもあった。

別のクライアントであるガス器具の会社であるA社からは、新しい器具が発売されると、声がかかり出願になる。

また、私が勤務していた事務所で付き合いがあった別の企業の課長さんからは、C社と電気製品の出願が競合しないようにして、特許出願ではなく、特許異義の申し立ての仕事があり、私は結構忙しかった。

出願が競合すると、秘密が漏れる心配があるということで、避けるのが常識であった。

しかし、私以外の事務所のスタッフ全員の仕事には、量が足りない感じである。

この頃のお客さんは、とても配慮があった。例えば、C社は、保証件数というものがあった。年間に依頼する出願件数を保証してくれるのである。保証件数は特許部が管理していた。

つまり、知財部に管轄が移っても、なお、特許部の影響があったのである。このように、管轄が曖昧なのが、C社の特徴であった。それと同時に、C社は、難波節の価値観に通じるものを、非常に大事にする会社だったのである。

私の事務所には、初年度150件位の保証件数があった。そこで、図々しいが、この保証件数をたてに、会社から打ち合わせの仕事を入れてもらうのである。

その頃、私の事務所の売り上げは、月600万円ほどであった。そう聞くと、随分多いと感じるかもしれない。ところが、家賃を払い、給料を払って、しかも外注費までかかる身には、けっして多くないといわなければならない。このへんが、恐ろしいところである。

複数のクライアントを得ても、仕事がたりない。この状態では、頼るのは鈴木さんしかいない。私はC社に頼み込んだ。

頼んだときは、まだ年間新しい出願としての150件には余裕がある。

「この前の発明の打ち合わせを考えると、今の時点で十分な件数になっていますよ。この分でいけば、年末までに保証件数を超えてしまいます」

と、C社の鈴木さんがいった。

確かに、そうである。

しかし、いま、足りないのも本当であり、他に鈴木さんしか頼れる人はいないのである。また、他の仕事を考えると、自分以外の人がやれる仕事をとるには、打ち合わせをお願いするしかないという、ずるい計算もあった。

「なんでもいいし、どこへでも行きます」

もうやぶれかぶれでいって、待っていた。

数日すると、鈴木さんから連絡があった。

「いろいろ探したけれど、なかなかなくて、先生なんでもいいと、いいましたよね」

「いいました、いいました」

「やっと打ち合わせの候補を見つけたけど、松本なんですよ」

ゲッ、松本！　と思ったけど仕方ない。

「先方の電話番号を教えてください。具体的なことを直接打ち合わせますから」

松本駅のホームに電車が入った。電車は二階建てである。二階建て電車のほうがたくさんの人数が乗れる。

今日は、松本駅に通じる豪華なホテルに泊まった。朝食はバイキングである。

朝だからあまり食欲がないが、食べないと打ち合わせができない。松本駅から電車で何駅か行くと、大きな事業所があった。

昔磁気テープを作って、C社の創業の基礎を築いた所である。

発明の内容は、ハードディスクといわれる情報を記録した磁気ディスクから、情報を読み出すヘッドが、磁気ディスクの回転（動圧）を受けて浮上して、非接触になる情報機器である。「コンタクト・スタート・ストップ」という。

ヘッドは飛行しながら、ディスクとの間で情報を読み書きする技術である。いわゆる、フライングディスクという、アメリカのＩＢＭが始めたものであり、そのヘッドの羽根形状の技術の打ち合わせであった。

この会社は、ハードディスクを売り出していないが、盛んに出願していた。この技術のお影で、古いハードディスクの技術が見直されるきっかけになった。作っていなくても、いい羽根ができたら特許をおさえるのである。

飯田橋の駅前というか神楽坂に、「踊り」が特徴的なディスコがあった。

そこは、ゲームセンターとして出発し、社長は駅前のパチンコ屋も経営していた。そのパチンコ屋の名前を、サービスマークとして保護したいというのが、そもそもの依頼であった。

社長は知り合いの人の紹介であり、2代目で、会社の名は「○○興業」という。社長さんに会ってみると、外見は普通のサラリーマンみたいな感じの人であった。

駅前のパチンコ屋は流行っていたが、昔は有名な映画館であり、私も映画ファンであったから、その映画館の名前は有名だったこともあり、商標登録することを勧めた記憶がある。

残念ながら、もう映画ブームは去っており、結局二度とその名前を使うことはなく、無駄なことを勧めたことになる。

ゲームセンターとディスコは、その頃商標法上、指定商品が同じ分類であり、こっちは無駄にならなかった。後で、社長が「あんなことは若かったからできたので、もうあんな新しいものを流行らせるなんて、できないですよ」といっていたのを覚えている。踊りのことである。

私も若かった。そのディスコは、その後フレンチのレストランとして新しく開業し、結婚式場もかねて結構流行ったようである。レストランの開店パーティに招待されていってみると、当時の有名な政治家が来ていた。

後日談であるが、そのパチンコ屋の名前は、新宿のパチンコ店に商標を侵害された。でも、商標登録をしていたので、問題なく抑えることができた。


B社から連絡があった。なんでも、B社に南米から手紙があって、出願したB社の商標を売りたい人がいるということである。でも、B社は南米には取引している会社はないとのこと。不思議な話である。

よく聞いてみると、なんでもB社は中米には昔から取引している国があって、そこには、結構な数の商品を出しているとのことである。しばらくして、真相が分った。

たしかに、B社は中米の取引している国に、商品を輸出していた。問題はその後である。中米の人が、B社の製品を背負ってインカの道を南下していたのであり、知らないうちに、いわゆるハンドキャリーで、南米中にB社の商品が広まるだけでなく、B社の名前も商標も南米のいろんな人が知っていたのである。

中米の会社は、南米の会社か南米の業者かを知らないうちに代理店契約をしていたようである。南米のある国の法律事務所から連絡が来て、このことが発覚した。その南米の人は、「あなたのために商標の出願をしておいてあげた」といい、その地位をお金で譲ってもいいという。日本円で100万円くらいの金額である。

調べてみると、あろうことか、同じ商標をたくさんの人が出願しており、その人は最先願で、どうやらその人が商標権を取得しそうだということもわかった。異議申立てをして、真の権利者が取得する手続きをとったが、上手くいかなかった。どうやら買うしかないようであった。

いろいろ調べてわかったことであるが、その出願人の事務所も、こちらが異議申立てした事務所と同じで、その国で知的財産を扱っている事務所はそこしかなかった。

名前を見ると、何代か前は間違いなく海賊だったと思われる。事務所の担当者は、マリア・プエブロといった。

マリアは、カーニバルの時期になると、連絡がこなくなるのである。いくら手紙を出しても返事が来ない。休暇になると事務所にいないのである。まあ、働き方改革である。

仕方がないので、事務所を通して出願したという人と連絡をとって、買いたいという意向を示したら、返事があった。

銀行は信用していないので、現金に限るとのこと。特に、自国の銀行は信用していないので、アメリカの銀行が振りだした小切手を左手に渡したら、公証人の面前で、右手で、譲渡証書にサインする、ということであった。

いわれたとおり小切手を用意して、クーリエ、つまり国際宅急便で現地へ送ろうとしたら、また問題がおこった。

金額が大きすぎて、小切手を送っても、クーリエの配達員が金額を知ったら、一生分の収入よりはるかに多いので、確実に職をうち捨てて、荷物を持って逃げるだろうとのことであった。

でも、荷物である小切手の金額を表に書かないと保険は適用されないという。いろいろ考えたが、保険は諦めて、小切手を送った。

9　東京大神宮前

ほどなくして富士見町が手狭になり、東京大神宮の向かいにあったビルに引っ越した。スタッフも増えて、入りきれなくなったのである。近くに有名な洋食屋もあり、便利な場所だった。

「月のマーク」というと、日本人なら誰でも思い出す日本最大の衛生用品の会社があると思うが、「月のマーク」は、本来別の会社を指し、世界最大の歴史ある「P&G」を意味していることは常識である。

私のある得意先は「P&G」から、基本特許を侵害しているとして警告されていた。「P&G」は、同じ技術により世界各国で特許を個別に取得していた。そしてそれぞれの国で、特許の実施料を取ってその国の会社に経営をやらせるのである。

自社はなにもやらなくても実施料収入により、その国で収益が上がる仕組みである。いうことをきかない会社は、特許権に基づき訴える。だからその国の企業は、実施料を支払うか、裁判を受けるかしか選択の余地はないのである。

普通、特許権侵害として警告された場合、よくとる措置として3つか4つ方法がある。

特許侵害の警告がなされても、それが第三者にバレにくい一番簡単な方法は、こちらも、なにか相手が使わざるをえない特許をとり、互いの実施権をバーター契約をすることである。この場合はその特許を提示して、交換に、こちらの特許をやらせる用意があるといえばよい。

次に、どうしてもそれができない場合は、相手が使用することが必須でないとしても、相手にとって、魅力的な特許をいくつか提示できれば、相手の特許を使用できるかもしれない。

3つ目として、相手の特許を無効にすることができる証拠を持っていれば、その旨伝える。その場合、当該特許を無効にしなくても、無効にするという警告だけで十分交渉できる場合がある。

つまり、その特許を条件付きで存続させれば、相手は、自分以外の他人にその特許を行使できるけれども、こちらにはふるえない。場合によっては、黙っていることを条件に、お金になる場合もある。この場合は特許を持っていることと実質的に変わりはない。

最後に、もうひとつの方法は、裁判になっても、相手の特許を侵害していないという主張もできる。ただしこの場合、自信がないと裁判に負けて、大変なことになる。

特許権侵害訴訟は、普通の民事訴訟である。

負ければ、「差止請求権」を行使されて、扱っていた商品が売れなくなる。これは、普通、大損害である。それに加えて、今まで被っていた法律上の損害を別個に求められ、この損害を払わなければならない。損害賠償請求権である。

その前提となる審決取消訴訟は、行政事件訴訟法という別の原則で進められる。この場合、侵害は、権利の存在が前提になるので、その権利の帰趨を争う審決取消訴訟とはセットで行われることが多い。

「P＆G」の権利になった特許出願がでている公報をよく見ると、権利範囲が書いてある部分にミスがあり、記載ぶりが反対の内容となっている。ある意味では、無効にもできるわけで、形式的には、さきほどの3番目であり、このままでは無効の特許である。無効になれば、相手は権利を主張できない。

得意先の社内には、この誤りは、「P＆G」には手続的に直せない、という意見が支配的だった。しかし、このままでは、内容的にはどうみてもこちらの特許権侵害なのは明らかであった。ずいぶん検討したが、金銭的に解決するのが安全だろうということで、かなりの金額のお金を払って、その特許を使用した。

大事なことであるが、「特許権侵害」というと、マイナスイメージを持つ人が多い。しかし、「特許権侵害」は、実はチャンスであることも多い。

特許権を「侵害」している、といわれるということは、侵害を観察していた者が、こちらの「製品」をよく見ていたということであり、関心を持っていた証拠である。だから、侵害をいわれた製品だけでなく、相手の商品全般について、よく研究することが大事である。

また、自分のつよみの中に、相手が魅力を感じていることも多く、そのような場合には、相手とよく話合うことが大事である。

実施権を供与してもらい、仕事を発展させることができるかもしれないし、こちらの特許権を恐れていて、先にたたこうとしているのかもしれない。

つまり、特許権侵害といっているが、その実、こちらの特許権が怖いかもしれない。その場合はやみくもに争わなくても、相手に実施権を与えれば、大きな利益がもたらされる場合もある。

特許権侵害の場合は、相手は戦いの相手ではなく、事業を発展させるための仲間かもしれない。問題なく推移している場合には、ある意味なにも起きない。しかし、知的財産の侵害事件が起これば、もめ事なので、素人が相手先企業と話合いを持つことは、難しい。そこで、職業専門家に間に入ってもらい、この職業専門家と親しくなれば、相手先企業の話も聞いてもらえるから便利である。
自社の業務にプラスになる話合いが必要だと分ったときは、その線で話をすすめ、自社の業務が危ないと判断したときは、相手と徹底的に争うことが大事である。

新聞などによると、日本の損害賠償額は、アメリカなどに比べて著しく安く、このままだと、特許を取った中小企業に不利で、新しい産業が生まれにくいという批判がある。果たして、損害賠償額を高くすれば、うまくいくのであろうか？　日本の損害賠償額が安いことはその通りであるが、考えてみてもらいたい。

特許訴訟ではないが、アメリカでは有名な例のマクドナルド・コーヒー事件がある。コーヒーがとても熱く、子どもが怪我をしたことで企業を訴え、個人が儲かった。金額は公表されていないが、一説には日本円で一億円とも。しかし、たぶん数千万円だろう。

アメリカの訴訟は博打みたいなものである。勝訴すれば、莫大な損害賠償が得られる場合もある。でも良い制度とはとてもいえないのではないだろうか。

特許訴訟では「損害賠償」だけでなく、勝てば「差止請求」もある。差止められれば、いま売っている商品を、扱えなくなる。大きな影響があるのではないかと思う。

しかし、特許権者が勝つという場合は、あまり多くない。侵害を云々する前に、特許の無効審判があり、訴訟がある。この過程で、特許がなくなることが多い。

また、無効審判や訴訟でお金がかかる。

ほとんどの侵害訴訟では、特許侵害を判断する前に、無効審判や訴訟が起こるのである。したがって、特許権者の持つ特許権を、もっと権利が消えにくくしたり、侵害訴訟で、特許権が認められるようにする方法もある。


特許権者に「甘い」判断をしろといっているのではない。専門的になるが、証拠の提出責任や、立証責任などを、考慮することもできるということである。

難しい専門的な話になってしまったが、もう少し、中小企業が特許をとりやすくし、特許を有利に使って、大企業に対抗できるようにすべきである。技術を持った中小企業から、新しい産業が生まれやすくしたほうがいいと思う。


このようなことを経るうちに、私の事務所はかなり知られるようになり、近所の会社などが相談にくることも多くなった。私の経験によれば、個人の相談は大変重要なわりに、お金を払わないことが多い。それでも、近所づきあいは大事である。個人でも、近所に限って、仕事を受けていた。

事務所に勤務していた女性と結婚した。

所長の妻になるということで、事務所は辞めてもらった。そういう理由で仕事を辞めてもらったので、面白くなかったようである。これは、その通りで彼女のいい分はもっともである。どう考えても、仕事を辞める理由にはならない。申し訳ないことをしたと思う。

そういうこともあり、代わりの人に入ってもらった。ただ、交代というわけにはいかないので、同じ仕事を任せる人は一人にできなかった。仕事を覚える頃、辞めてしまうので、常に新人を採用していた。

ある日、事務所の呼び鈴がなった。変である。お客なら、呼び鈴などならさずに、応接室まで入ってくる。そもそも、そのように事務所を作った。

おかしいので、私は玄関まで行って扉を開けた。扉の前に、男の人が立っていた。正装をして、赤い花を持っている。

「迎えに来ました」

そういったのである。

クラブの男性だった。いくら、事務所に電話をしても来ないので、強引に迎えにきたのである。

ホステスと、クラブ遊びをする前に一緒に食事に行くのを「同伴」という。「同伴」の後で、夜お客を連れて、クラブに行ったことがあった。

でも、クラブは、自分で行く所ではないと思う。なぜなら、お客を連れていくと、クラブ遊びの好きな人は必ず仕事をもってきた。ところが自分で行ったら、お金にならないのである。

いわゆる、「接待」と「遊び」の違いである。お客を連れて行ったら「仕事」であり、これが、「接待」である。自分で行くと仕事にならない。持ち出しだけである。損をする。

いわゆる、「遊び」をしないと、クラブは使えないという人がいるかもしれない。でも、そういう人こそ、クラブのカモになっている人である。

収入にならなければ、仕事の道具にならない。道具として使えないクラブは、道具ではない。それでも行く人は、それだけの人である。

クラブの女性は、毎日美容院に行く。普通、夕方から行くのである。その後、「同伴」に行く。同伴とは、お客と一緒に晩ご飯を食べに行くことである。お客を連れて、「同伴」に行くと、ほとんどの場合、給金アップになる。その給金はクラブに入るお金に跳ね返るのである。

仕事が増えると、人が増える。だんだん、このオフィスでも入りきらなくなってきた。神楽坂で2年、富士見町で2年、東京大神宮の向かいで2年、不動産の賃貸契約の更新の度に、引っ越してきた。6年が過ぎて、飯田橋の駅近くの東栄ビルの2階に引っ越した。

知的財産の知識　2

出願変更　特許とか意匠の出願の審査の途中で、出願の種類を変えること。特許法でも意匠法でも規定されている。

出願分割　出願の審査の途中で発明などを抜き出し、出願の数を変えること。例えば、1件を2件にする。少なくすることは、できない。

権利の抵触　特許権、意匠権、商標権、著作権など、知的財産権は別々の保護客体について、権利を認めて保護している。これらの権利が例えば別の主体に属すると、各主体に属する権利が重なって権利に触れることがある。このような状態を「権利の抵触」と言っている。

権利の利用　知的財産法では、特許出願や商標出願を考えたとき、それらには、出願順に時間的相違がある場合がある。これらの権利の一部が重なっているときに、時間的に先の方に優先度合を認めて調整する。

発明　特許の保護対象となる新しい技術。

発明の名称　その特許出願の保護対象に対する呼び名、明細書の記載要件になる。

構成　発明の仕組み。発明の構成に欠くことができないもの。発明をなりたたせる必須のもの。

効果　発明が発揮する利点。

実施態様　発明を適用すると、どうなるかを説明したもの。

実施例　発明を適用する実際のもの、例示。明細書に必ずかかなければならない記載事項。

従来の技術　今まで、当該技術はどうであったかを説明したもの。明細書の記載事項。アメリカではプライアートといい、出願の権利化をすすめていく過程で、出願後は権利範囲に含められないとされる。

裁定　先発明か否かなどを判断する特許庁の手続き。

判定　ある技術が特定の特許発明に含まれるか否かを判断する特許庁の手続き。法律的効果はない。

実施権　特定の特許発明を実施するための権利。契約で成立する。ライセンスのこと。日本では再実施権をもつ専用実施権と、持たない通常実施権がある。

類似　意匠と商標で問題にする。意匠の場合は、デザインであるから、簡単にいえば見た目である。商標は、外観、称呼、観念の類似を総合的に検討する。「類似」とは似ていること。「外観」とは見た目、「称呼」とは発音、「観念」とは意味である。

年金　年次の登録料、一種の税金である。特許などでは、権利存続中、毎年決められた額の金銭を登録料として納める義務があり、毎年の登録料を払わないと、その権利は消滅する。
権利は、存続しなくなることが、国の利益と考えられる。そのため、独占権を維持するには、毎年税金が課される。「年金」という用語は正式には存在しない。

10 東栄ビル

東栄ビル　1

このビルに引っ越してきたら、顧問になったお客さんが心配していた。

ビルには、二階に上がると自動ドアがあった。「自動ドアがあるところなんて、大丈夫か」ということである。

ドアを挟んで、パーテーションで3つに仕切って、左側は2人の弁理士が使い、応接セットがある。

真ん中には大きなテーブルがあり、打ち合わせができる部屋であり、会議室として使える。

会議室の右側が、みんなが使える大部屋である。

ビルは大通りからわずかにはいった所にあり、仕事を手伝ってくれる男の人が5人、女の人が3人いた。以降、もっと増えることになる。

この時期は、全体で10人から15人の体制だった。

お客さんは大きな企業が3つ、4つと、ほかにたくさんの小企業だった。お客さん同士は、できるだけお互いに存在を知らせることがないようにした。

あるお客さんの仕事をしているときに、他のお客さんの仕事はできないし、他のお客さんの存在は、気持ちいいものではない。

新人を採用すると、私は、毎日午前中は講義をした。ひとりだけのこともあるし、複数人のこともあった。私は、仕事を覚えるとき、誰も親切に教えてくれなかったことを不満に思っていたので、自分では教えようと思ったのである。

新人が、特許業務をできるようになるまで、研修をした。

本当は、後からでも自分で覚えれば、研修なんていらなかったのかもしれない。

私の事務所の特許業務の中心は、「電気」と「機械」である。電気と機械の基礎知識が、出願前の打ち合わせには必要である。だから、打ち合わせに必要な電気と機械の基礎知識がない人は、まともな特許業務はできない。

研修で、打ち合わせに必要な電気や機械の基礎知識など教えられないし、本人に意欲や関心があれば、そもそもそういう知識は大人になるまでに、身につけているはずである。だから、個人的には、そういう知識がない人は弁理士になるべきではないと思う。


弁理士の資格は、試験に通ればとれるかもしれない。だから資格がある人は、たくさんいるかもしれない。でも、もともと向いてない人が資格をとっても、仕方がないのである。

そういう人は、自分でお客をみつけられないし、仕事もとれない。仕事がなければ、資格をとっても、食べられないから意味がないのである。

そういう意味で、お客が探せないということは、人から頼りにされないということであり、信用されない人は当然、仕事はとれないであろう。

もちろん、弁理士には商標専門の人もいるが、そういう人は商標の専門家として人から頼られ、信用される人である。そういう人は出願の打ち合わせを頼まれる。信用されない人や好かれない人は、打ち合わせの依頼がない。

だから、特許の出願をする予定の理科系の新人に最初に教えることは、打ち合わせに行って、最初に発明者と目が合ったら、「笑え」ということである。

人にかぎらず動物は、見知らぬ存在と初めて出会ったとき、相手が敵か味方か、まず判断する。そのときは顔を見て判断するのだから、まず「笑う」ことが大事なのである。「敵」ではない、ということを知らせるためである。

それから、相手は特許の専門家から、自分の発明が馬鹿にされることを常に恐れている。特に、初めての人はそう考えて構えているのである。相手に構えられたら、打ち合わせで大事な話を聞き逃す恐れがある。

そういう基礎的なことができて、初めて次の段階にいける。

次の段階とは、例えば、相手が回路図を拡げたとき、その回路がどのように動くのか、聞いていいかどうか判断することである。つまり、回路を見ただけで知識がある人は動きがわかるか、それとも動きが分らないで当然なのか、判断できなければならない。それが分らなければ、打ち合わせはできないのである。

なぜなら、打ち合わせで質問していいかどうか判断しなければならないからである。

また、もし分らなくて聞いても、最初に悪い印象を与えていなければ、聞いたとき相手が快く教えてくれるのである。

打ち合わせは、良い雰囲気で進めなければ、次の打ち合わせに呼んでもらえない。

毎年、正月はC社に集まった。

年のはじめに、特許部長から、その年の活動目標が告げられる。所長たちはそれをメモして帰り、事務所の皆に伝える、

事務所は一丸となって、その活動目標に向かって努力するのである。まさに、平成である。

私の顧客が、「特許権侵害」を警告された。

相手は、「日本リーバ」である。この会社は、世界的な大会社であり、一般消費財メーカーの「ユニ・リーバ」の日本法人であることが知られている。

「日本リーバ」は、妊娠診断薬の特許を保有しており、日本征服を考えていた。

そのために、関西では「目薬で有名な製薬企業」を特許権侵害で大阪地裁に提訴し、関東では別の会社を東京地裁に提訴して、両方勝利することで日本全体を恐怖に陥れようとしていた。

大阪では、早々、「日本リーバ」が裁判に勝って、後は東京地裁の決着を待つばかりであった。

ところが、私が鑑定したところ、「日本リーバ」の特許には弱いところがあり、こちらの商品は特許権侵害にならないと思ったので、「侵害ではない」といった。

事前交渉で、相手方の弁理士と私とは考えが違うようなので、結局、裁判になった。

裁判では、こちらの商品について、私がイ号（侵害品をこう呼ぶ。「イロハ」の「イ」である）として特定した製品の内容は、「侵害ではない」とされ、特許権侵害は成立しなかった。

因みに、訴訟の対象とされたイ号が特許と同じであるという判決があったとき、侵害になる。この訴訟では、侵害ではないと判断されたことになる。

ところが「日本リーバ」は前の裁判のときの主張を参考にして、新たな別の裁判を起こし、さらに前の訴訟で私がイ号として特定した内容を見て、新たな特許出願をし、その内容をもとに作戦を変えた裁判をしようとしたのである。


これは、たまらない。

最初の訴訟で、こちらの手の内を確認し、次に、別の訴訟を打つと警告してきたのである。二度目の訴訟では、負けた。ただし、製品は外注していたので、やめるのは割と簡単だった。

ちなみに、関西でこのとき負けた「目薬で有名な製薬企業」は、その後成長し、現在ではより成長したメーカーになっている。

一方、「日本リーバ」はなくなって、その会社はいまでは「ユニ・リーバ」という名前の日本法人になっている。ユニ・リーバはシャンプーやトリートメントなどの商品に作戦を変えたようである。

かつて日本の家電業界は特許出願件数が多く、出願件数が多いほど、市場支配力が強いと考えられていた。そんな中では、特許の実施許諾は、原則として国内メーカーに限られていたので、そもそも実施権を許諾されない海外家電メーカーは、日本の市場に参入するのに困難を極めた。

つまり、日本の家電メーカー同士では、出願件数が多いほうが勝ち、外国メーカーが入ってこようとすると、日本のメーカーは団結をして日本市場に入れないのである。

多分、そのような理由から、特許事務所は家電業界のどこか1社をクライアントに持てば、いつも仕事はタップリあるというわけである。

同じことが、自動車や、機械、建設会社にもいえた。私は、C社という家電業界の1社を持ったわけである。そんな理由から、出願件数が多い事務所は力がある事務所とされていた。

日本は、1990年代から2000年代にかけて、世界一特許の出願件数が多かった。世界の特許出願のおよそ四分の一は日本が出願していた。

この頃は特許が強く、海外の会社に特許の実施権を許諾しなかったので、海外の製品が日本に入ってくることはほとんどなかった。「物づくりの国」の面目躍如の頃である。実質的に国内だけの競争だったのである。

私は、以後6年くらい、この東栄ビルで過ごすことになる。

ある日、電話がかかってきた。出てみると、なんとSMクラブである。

なんでも、

「お宅の原稿が、ファックスで届いたんだけど……間違っていたら、その部分を正しく直して送ってほしいと書いてあって、お宅の電話番号なんかがかいてあるんだけど。うちではわかんないんだよね。中身もチンプンカンプンだし」

それは、当然である。

「これ、どうする？」

相手はいう。

「捨てていいの？　でもなー」

しょうがないので、私は、

「間違いですから、破棄してください。誰かに、中身がしれないように」

会社へ送ったファックスを、たぶん中継して、誰かがまた送ったのである。途中で誰が送ったのかも分らないし、送り先もたぶん間違っているのである。

でも、相手が相手だけに、誰が送ったかまで聞けない。本来、誰に送ろうとしたのかも分らないままである。送り主も、送り先もわからずじまいで、やりようがなかった。

いろんな会社の要請により、全国の事業所に行った。講演である。「特許の講演」というとスゴいことを想像するが、そうでもない。

どんな会社や事業所も特許を出すに当たって、社内的には、その工夫を記載した「提案書」を提出させる。そうしないと社員は提出した記録が残らないので、給与に反映しない。給与に反映しなければ、提案しても収入に結びつかないから無駄になる。もちろん、社員の立場からすれば、である。

「提案書」が出なければ出願されないことになり、会社も発展しない。ということは、簡単に「提案書」が出せて、簡単に出願できればいいのである。それを可能にするのは事務所からの提案である。

私の事務所は出願が早く、提案が簡単で、打ち合わせが楽という評判であった。だから、「簡単な提案書の作り方」とかいう題の講演が多かったのである。

私だけでなく、普段力を発揮している事務所のスタッフなども参加して、大いにもりあがった。

特に、なれていないスタッフには積極的に参加してもらい、人前で話すいい機会になった。「提案書」を簡単に出すことは重要である。

多くの技術系社員は開発などの正規の仕事があり、普段、正業に忙しい。また、「提案書」などに熱心であると、社内では提案書に伴う奨励費、つまりお金を稼ぐことに一所懸命であるなどと、陰口をささやかれやすい。「提案書」1通いくらと決めている企業が多いからである。

「提案書」がでないと、出願はされないし、特許が減れば会社の競争力は落ちるのである。社員の能力も十分発揮されない。

そこで、以前に出願したものから「提案書」を抜き出し、出願までに何度も補充した結果を説明し、何故、出願前に補充を求めなければならなかったか、どれくらいの期間が無駄になったかを社員に示す。

補充が必要とされないほどよく書いてある「提案書」は、奨励費である報酬が高いのが一般的だったからである。

そして、要領よく説明するとはどういうことか。我々がどういうことが分らないか、特許を取るためにはなにを説明しなければならないかを、説明した。

「提案書」の上手下手は、人によって様々だし、要領もある。

「提案書」の実物を見せて説明しなければわかりにくいし、それには、その部門を担当したことがある事務所しか資料を持っていないという事情があった。したがって私の事務所には、いわば説明会が多く、説明会が多ければ、当然後で打ち合わせも多いという循環ができあがった。そういう説明会をたくさん開催することにより、出願件数も増えるし、打ち合わせも増えるのである。

いろんな国の弁理士が事務所を訪れた。

前にも書いたとおり、外国で特許を取らないとその国で権利行使はできない。特定の国で権利をとるためには、その国の弁理士に頼まなくてはならない。もちろん、お金がかかる。

つまり、彼らは営業に来るのである。彼らが来ると、食事等に連れて行かなければならない。営業に来ているのにこちらがお金を使うというのはちょっと変な気がする。でもその考えは、誤りだったことに気付く。

彼らと食事をすると、その国のことを話してくれる。その国の知的財産権を取り巻く環境のことを詳しく話してくれる。そういう話はものの本を読んだりするよりわかりやすく、正確でタイムリーだったりするのである。自分でそういう国へ行ったりするより、ズッと安上がりであると思う。

私はよく新人を連れて、打ち合わせに行った。

打ち合わせに行って、複数件の発明の出願候補について話を聞くと、そのうちの1件を新人にやらせるのである。

終わったら、自分でやった明細書を新人に見せる。私がやった案件を見て、新人に真似するようにいい、私と異なる部分に注力させる。

自分が担当する異なる部分について、何通りも異なる実施例、つまり応用例を考えさせ、それを文章にする練習をさせる。そうやると、言葉で教えるよりズッと良い研修になった。

終了する期限も、原稿を送らないと出願できない関係から、お客さんが、見ていてくれる。つまり、いつまでも新人が終わらないと、お客さんから電話がかかってくるのである。また、そういう機会に、新人の存在をお客さんに知ってもらうことができる。

彼が良い原稿を書けるようになれば、彼に打ち合わせが入るようになるのである。そうすれば、事務所の書き手が増える。

また、新人は常に私の書いたものを読むことになり、いきおい、私と似た原稿を書くことになる。こうして、事務所は、いわば拡大再生産するのである。

ガス器具の会社、A社というが、その特許出願は、他の会社と内容が違うことが多かった。もちろん、機械的な構造の違いに発明の特徴があり、それを特許出願することもあったが、この会社は自動風呂釜が中心的商品である。

自動風呂釜の構造が変わることは、少ない。多くの人が知っていると思うが、自動風呂釜は、電源スイッチを入れるだけで、いろんな運転を自動でやってくれる。つまり、シーケンシャル（連続的に）にさまざまな動作をしているのである。この動作の順序が、権利になるのである。そういう出願をたくさんした。

日本では「上水圧」つまり、水道の圧力はほぼ一定であり、決まっている。供給されるガスの種類、つまりガス種も1種類で決まっている。ガス圧も変わらない。こういう環境は、近くの大きな国とは全然違うのである。

この変わらない条件を前提に、日本では自動風呂釜が自動でいろんなことが出来るのである。この会社は、当時の住宅政策に乗って、多量の製品を売ってきた。例えば、団地が1棟完成すると、団地1棟分、同じ給湯器が何台も入るのである。つまり、全ての家庭に入る自動風呂釜を全部納入した。

だから、関西にある会社で、バランス式でない普通の自動風呂釜の会社と機能が同じだと、特許に書く内容は共通するからすぐに特許問題を起こして対立した。出願が遅くなって、関西の会社の出願が権利になりそうになると、私が異議申立てをするのである。

おかげで収入にはなったが、申立てが多いことから、相対的に1件の期限が少なくて、私はずいぶん苦労した。

今は、この会社と仲良くなって、お互いの権利を融通するようになり、対立は解消したようであるが、かの会社の答弁書を書いている代理人が上手に答弁するので私はずいぶん勉強になった。


東京ではあまり問題にならないが、北の方では、寒くなると器具の凍結が問題になる。自動風呂釜は、機械の中に浴槽水等を引いてきて、導くものだからである。そのとき、外気の温度を計測していて、外気が所定温度より下がって一定時間経過すると、浴槽の残り湯を風呂釜の中に引き込んで風呂釜の中を暖める。浴槽内の残り湯は、前の日に加熱しているから、温度が外気より暖かい浴槽の中の溜まっている残り湯は、温度が高いと考えられるからである。

このようにして、夜中でもポンプを回して、浴槽の残り湯を風呂釜の機械の中に引き込むことで、冬の寒い日、風呂釜の中が凍結・膨張により、管路などが破壊されることをまもっているのである。

C社の君津の事業所の事務所で打ち合わせがあったときだった。打ち合わせの階に行くと、他社の製品がバラバラにされて、壁に貼り付けられていた。腑分けのようである。他社対策をしている最中なのだ。相手の商品の欠点をなんとか探して、次の商品で勝ちたい。開発担当者たちの思いはこちらにも伝わってきた。

構造を工夫し、その構造が新しいと、特許を出すのである。打ち合わせが終わったら、製品の完成に関係なく、できるだけ早く特許出願しなければならない。特許は、出願日の早い順番に審査の優先度があるのである。先出願主義と言い、出願日が早いほど優先的に特許になるのである。

私はよく、このC社の光ディスクを担当した。

光ディスクには、光学ピックアップと呼ぶ部分があり、それは情報を読み出すためヘッドから発射するレーザ光の焦点を結んだり、経方向の位置をあわせ、反射ビームを受けるという大事な部分である。

焦点を合わせることを「フォーカシング」、経方向の位置をあわせることを「トラッキング」といった。これらの方法にはたくさんあるが、私が担当したものは、フォーカシングには非点収差法、トラッキングには3ビーム法と呼ばれる方式が用いられていた。これらの方法をうまく使える光学ピックアップの構造を、出願したのである。

もう少し詳しく説明すると、光学ピックアップでは、オリンパスが2つのコイルを採用して、互いに交差する2方向に、この2つのコイルを重ねて固定する構造を提案していた。そして、コイルとは別に、永久磁石を固定しておいて、各コイルに別々に制御信号に対応した電気を通電することにより、異なる2方向にレーザを出すヘッドをコイルと共に動かす特許を出願していた。巧みである。

みな、なんとかしてこの特許を超える出願をしようと、努力していたのである。

光学ピックアップは、どこの家電メーカーも競争でたくさん出願しており、日立の発明者訴訟が有名である。その苦労のせいかどうかは知らないが、C社は訴えられることはなかった。

私は300件くらい、光学ピックアップの出願をした。

C社の西上さんは、

「あなたは日本で一番光学ピックアップに詳しい弁理士といってもいいんじゃないでしょうか？」

といった。

特許裁判には、おおよそ二種類ある。

ひとつは、よく知られているように、ある製品が、他人の特許をおかしていないか審理する。特許侵害の裁判といって、普通の民事裁判である。もし侵害していたら、その行為の差し止めが認められ、損害賠償も認められる。

二つ目は、審決取り消し訴訟といっている。特許が認められないとした特許庁の審判の審決に不服の場合、その審決を争って裁判所に提訴するのである。成立した特許なども、個人がその成立を、なかったことにできる。無効審判などである。

特許や商標などは、目に見えない。そういうものを、無体財産とよび、民法の財産権の原則が全て適用されるわけではない。審査の結果や権利の成立、審判の結果や裁判の結果などは、全て特許原簿に登録されることにより、効果が認められるようになっている。

審決取り消し訴訟は、昔から弁理士だけで行うことができる。つまり、弁理士に訴訟代理権が認められている。しかし、侵害訴訟について弁理士は補佐人になるだけで、弁護士を訴訟代理人に選ばなくてはならない。つまり、二重にお金がかかるわけである
近年、弁理士にも、一定の試験合格を条件に、侵害訴訟の訴訟代理権が認められたが、弁護士

とともにする場合に限られ、経済的問題が解決したわけではない。弁護士と弁理士をやとうことが多いからである。

C社は、よくいえば、自前主義であった。モーターなどなんでも内製した。

当時はやったカンパニー制のせいかもしれない。カンパニーで作った部品を、他のカンパニーに売りに行く。これも営業なのであるが、あろうことか、この部品を断って他社の作った部品を購入してしまう。他社の部品のほうが性能が良かったり、価格が安いからである。特許を出願しても売れない。もっとも、特許権と商品が売れるのは別問題であるが、商品が売れないと、経済的に困ることになる。

そういう考えが、いまはないようである。業務ごとに別会社として独立採算にし、本社の必要により、M&Aで売却するらしい。どれだけ売れる会社をもっているかにより、資金量も決まってくる。売却する会社が、独自の技術を持っているかどうかなど関係がない。

技術がない会社など、もともと買い手がつかないのである。利益率などにより、貢献するキャッシュフローが変わってくるし、残った会社の業務とのシナジー効果もある。また、技術力がないと、買い手がつかない。

そんな点が、この頃から問題になったのかもしれない。

私の事務所では、仕事が不足する頃、他社つまり、D社から仕事の打診があった。その会社は電気製品を売っており、商品が競合する。まだ、法改正前であったが、相手の代理人になることは常識的にもおかしいが、法律で禁止されていなかった。しかし、D社のものを扱うことができないと判断し、私は、失礼ながら直接断りに行った。話すうち、代理人にならなくていいから明細書の原稿だけ作ってくれという。出願は扱わなくていいのである。

原稿だけなら、空いた手が埋まる。そう判断して、原稿だけ引き受けることにした。

関西のある会社が侵害しているようである。

特許権侵害と、商標権侵害の警告をした。そうしたら、関西の有名な弁護士弁理士から回答があって、商品を止めるという。それ以上の追求はせず、侵害事件は終わった。

東栄ビルには長くいた。オフィスの賃貸契約を3回更新したのである。

大学TLO（技術移転機関）が盛んに設立され、今では承認TLOが多くなっている。私も出身大学によばれ、ひさしぶりにキャンパスに行った。

校門を入ってすぐの右側の建物にＴＬＯがあった。昔サークルの部屋がたくさんあった古い建物である。この組織は、大学などが所有、創造する研究成果（シーズ）を特許権などに権利化した上でそれを基にしたベンチャー企業を興したり、民間企業に権利供与したりすることの橋渡しのために設けられた。

ＴＬＯではないが、大学の発明を、年間３０件くらい出願することを依頼されたが、他の仕事が忙しく、できなかった。

知的財産仲裁センターの仕事も頼まれた。

誰でも知っている郵便関係の会社の著名な商標の調停に携わった。これは、後に東京地裁の裁判にもなった事件である。

当事者の一方がいうことを聞かず、調停ができなくなったので、仕方なく調停は終息した。

「電子タグ」の出願をして、ある新聞社からインタビューを受けた。出願が出願公開されて公報が発行され、その公報を見て連絡してきたのだから、少なくとも出願より1年6ヶ月以上経っていることになる。実際には、もっと後である。

製品の段ボールの外側からセンサーを当て、中身の状態を知る。つまり、中身に触れなくても良いし、包装を開く必要がない。製品に傷をつけずに非接触で手軽に検査できるということに注目したらしい。以後、こういうやり方が主流になる。そのはしりであった。

新しく採用した女性がいる。

その人は、不思議なクセがあった。従業員には、年次有給休暇の日数がきまっていて、皆その日数は自分で把握していた。

誰でもそうだと思う。その女性は違うのである。理由はさだかではないが、よく休む。そのうち、有給日数がギリギリまできても平気で休む。そうすると、有給の残りがなくなってしまう。有給がなくなると、欠勤になってしまうので、ボーナスが満額出ない。だから、有給の残りを管理している男性に泣きつくのである。

私は、そのことに気付かずにいたら、どうも様子がおかしい。案の定この女性は、有給の残り日数を管理している男性にとりいって、有給日数を増やしてもらっていたのである。いつまでたっても、欠勤にならない理由は、有給を取り過ぎると有給日数を増やすという操作をしていたのである。これは不公平だし、違法なおこないに当たる。気付かないでいた私がよくないのである。

また、必要があり、女性をさらに採った。前の女性もいて、新しく採った女性もいる状況である。

この新しい女性の行動が良くなくて、辞めてもらうことになった。それを告げたとき、新しい女性が、前の女性の行動を告白したのである。

前の女性は事務所の勤務が終わった後、おでん屋さんのアルバイトをしていた。そのアルバイトがはじまる時間と、事務所が終わる時間が、非常に接近していたらしい。事務所を出るとき、新しい女性と一緒にエレベーターに乗って、1階についたら、時間短縮のため「開」ボタンを押させていたということである。

私は、何というべきか困った。

「開」ボタンを押させることは、悪いとまではいえない。ただ、新しく入った女性は、辞めるときまで待って、この事実を口にしたのである。

前の女性がしたことは、明確に法律に触れることではない。だから、私は彼女を注意することはしなかった。これを聞いた人はどう思うであろうか。でも、私の心には、残ったのである。

別の話であるが、商標は、商品に使っているかぎり商標権を維持することができる。それに関連して、ある話を聞いた。

その人は大きな建設会社の研究所の所長をしていた人である。大きな建設会社には、下請け会社が、工事技術を持ち込むことが多いらしい。

我が社はこんな技術を実行できるのだから、下請けとして使ってほしい。これができるのは、我が社だけである、ということである。

この人はある技術の内容を詳細に聞き、その足でつきあいのある特許事務所へ行き、自分の名前で特許を取ったという。特許が認められたころ、この人物は会社を辞めて、ある商標を冠した任意協会をつくった。

その協会に入った会社だけが、特定の技術を使用することができるようにした。もちろん、例の特許技術である。


協会に入るには多額の会費が必要であった。他方、その技術を使用した工事には、特定の商標を使用しなければならないと、協会で決められていた。会社の宣伝用パンフレットなどに使用するのである。商標を使用出来るのは、協会員だけである。

特許の独占期間が切れる頃、その協会の名は有名になっていたので、もはや、その商標を使わないと工事が出来なくなっていたという。

彼は、商標権者として、ずっとその商標権を大事にしている。

東栄ビル　2

ある会社が「ＪＫビジネス」（ＪＫ＝女子高）に関する商標を出願していた。

今でこそ、「ＪＫビジネス」という言葉は有名かもしれないが、当時私は意味が分らなかった。お客さんから異議申立てしてほしいと依頼があったのである。公告された商標に異議申立てしたが負けてしまい、その商標は登録されてしまった。

アメリカから現地の弁理士が来日した。

アメリカでパテントアトーニーというのは特許弁護士であり、しかも国の試験である弁理士試験にも受からないとなれない。アメリカでは弁理士は理科系の大学を出なければならない。因みに、アメリカの弁護士試験は、州の試験である。

その人は、「アームストロング」さんという。私は、「腕っぷし」さんと、かげでよんでいた。電話連絡してきた秘書に、私の事務所の場所を説明しようとすると、詳しい道順の説明は必要ないという。

「住所だけ、正確に教えてください」

「それでは、アームストロング先生がこられないでしょう」

「いや、本人は○○ホテルに泊まっているから、行けると思います」

「お一人で来るんですか」

「そうですよ。自分で行きます。本人は、毎年日本に行ってるのですよ」

「それなら、住所、いいます」

本当に当日の昼、一人で歩いてきた。


「案内なしで、大丈夫でしたか？」

アームストロングさんは、こともなげにいう。

「ああ、昔から、○○化学に来ているから」

「アームストロング先生、○○化学を知っているのですか」

「ええ、一年の三分の一くらい日本にいますから、毎年行きます。昭和４０年代から毎年日本に来ています」

食事をしながら、普段の仕事の話になった。

「日本の公報も読むのですか」

「ええ、普通のものなら読みます。漢字も、むつかしくないものなら、訳す必要はないですよ。たいがい読めます。だから、鑑定なんか、簡単にします。訳す必要はないですよ」

一緒に昼飯を食べた。

「もう一本いいですか」

彼は長身なのでカウンターの天井に頭をぶつけたが、昼からビールをたくさん飲むのである。


その頃、ある商標権侵害の裁判があった。

お客さんの製品の商品について、類似の商標を使っている相手がいたので警告した。商標の使用を止めないので、東京地方裁判所に訴えた。相手の弁護士がいった。

「お金がないから、弁理士の先生を雇えないのですよ」

それは可哀想だけど、こちらは何もいえない。裁判所で、主任裁判官がいった。

「原告のご主張は分りますけど、原告は商標の更新はきちんとしているのでしょうな?」

「もちろんです」

キチンと更新出願はされていた。しかし裁判の後でもっとよく調べると、手続きが間違っていたのである。ビックリしたことに、間違ったまま登録もすんでいたのである。だから気付かなかった。

更新登録も適法に終わり、商標の権利は適法に更新されていたのである。でも、驚いたことに、特許庁がまちがえていたのである。事件が全てすんでからわかったのであるが、相手方に弁理士がついていないで良かったと思った。こちらが、ついていたのである。

顧客から、注意があった。

韓国の財閥系のある企業が、特許出願の代理人にならないかと、顧客の事務所にいってまわっている、とのことである。代理人になると、取引による利益が発生するから、経済的魅力になるということである。だから、どの程度利益がはいるか調査しているという。

また、この事務所に出入りすれば、情報が手に入る可能性があり、その情報を狙っているらしい。事実、この企業は、顧客の真似をして、やり方を吸収しようとしていた。日本の企業に取って代わるつもりらしい。

例えばこの韓国企業は、デザインも品質と考えていた。技術よりは、デザインのほうが真似しやすい。この会社は、さかんにデザインを良くしようとしていた。

私の事務所には、このときは幸い、そのようなアプローチはなかった。しかしこの頃から、韓国企業は日本企業のやり方やノウハウを吸収して、日本の得意分野をターゲットにしようとしていたのである。事実、企業を退職した日本人をたくさん採用して、日本企業の技術やノウハウを積極的に吸収していた。

そして、この直後に来るたくさんの発明者訴訟の増大を利用して、日本人の技術者を、高額でたくさん雇い入れ、成長するのである。韓国企業が日本企業の人材を高額で雇い入れて、そのノウハウ等を吸収した話は、有名である。

発明者訴訟は、有名な青色発光ＬＥＤ訴訟だけでなく、甘味料パルスイートや光ディスク訴訟等、実際に起こったものにかぎらず、有名企業に勤める技術系社員等には、一種のはやりであった。

彼らは、自身の退職金の一部を着手金にして、多くの法律事務所に、発明者訴訟を起こすことを依頼した。青色ＬＥＤ訴訟のように、もし勝ったら、天文学的な金銭を会社からとれる可能性がある。

誰でも、会社に勤めていて理科系の仕事をしていたら、特許のひとつやふたつは、出したことがある。その特許が自分のものになるかもしれないし、自分のものにならなくても、会社から多額の金銭を得られるかもしれない。

ひるがえって、会社に定年までいても、たいした地位も得られなかったし、民間企業で、天下りもないとなれば、退職金をはたいても、裁判をやろうと思うのかもしれない。しかし、裁判に負けたら、虎の子の退職金はきれいさっぱりなくなるのである。

その後の生活費はどうするのだろうか。よく考えるべきだと、思う。

昼休みについて、書いておこうと思う。

まず、国際企業であるC社である。本社の社食は大きなレストランのようであった。昼食時に社員と一緒に社食へ行くと、社員が客用の登録カードを持っていた。一緒に食べる担当社員が持っているのである。

レストランの内側の部屋には、麺類、ごはんもの、肉、サラダ、などの窓口がある。そこで、好みのものをいって料理を受け取るのである。料理を受け取って登録カードを差し出すと、その都度料金が引き落とされるのである。

トレイに受け取った料理をのせてテーブルまで自分で運んで食するのである。こう書くと、あまり実感がわかないが、普通、担当社員と好きな席に運び、一緒に昼食を食べる。昼食は好きな席で、社員と一緒に十分時間をかけてとるので、快適であった。

原稿を納めていた会社、ここはD社というがそこも、国際企業である。

ここは少し古い形式で、いくつかメニューが決まっている中に、来客用のメニューが決められており、料理はそれを選ぶことになる。ただし席は設けられている。これは、食事中に、外部の人間に情報が漏れないようにするためかもしれない。来客用のメニューは一般社員より、少し豪華だったと思う。

東京から、役人などが来たときも同じ席らしい。

接待すべき来客を招いたとき、どうすればよいか、会社の人から意見を求められた。私は、特別なことをしなくても良いという意見をいったが、人によりいろんな意見があるらしい。接待すべき役人に特別なことをしなかったので、よくない扱いを受けたという話だった。

私が月一回通って原稿を書いていた事業所には、社食がなかった。昼になると別室に通されて、そこに弁当が用意されていた。弁当は、いくらだか分らないが、高価なものを用意してくれていたと思う。

ガス器具の会社は普通の社食である。

２つくらいの、一般社員が選ぶメニューがあり、社員と同じように、そこからどちらかを選んで食した。食べる場所も一般社員と同じ食堂で、その椅子に座って食べたが、社員とは時間がずらされていたと思う。

顧問になっている会社は、昼になると、車で近くの飲食店に連れて行ってくれた。そこで、普通に注文して昼食をとるのである。料金は、いつも会社で払ってくれた。

また年に一度くらい、社長と会食をした。会食をするときは、社長の公用車で一緒に出かけ、社長が選んだ店にいくことが多かった。

呼ばれたパーティに出席したら、開業した頃、外注の仕事をくれた大学の先輩に会った。

B社では、ブラウン管式テレビを発売しようとしており、私は、その鞍型ヨークのコイルの巻線機を担当していた。

「事務所を出る前に、特許庁から拒絶理由通知があってさ、君の公報が引かれたよ」

(出願したら、拒絶理由が来て、その引例に、私が代理した案件の公開公報があったということ。多分B社の公開公報だと思われる。)

「巻き線機の公報でさ、(明細書に)いろんなことが書いてあるから、しんどかったよ」

といわれた。立派な出願が出来たのが先輩に分って、良かったと思った。

C社に父がいたころの後輩が、八王子の事業所の代表になっていたので、何度か会ったことがある。この人は以前、有名な中研の所長をしており、本社にもいたことがあるが、この人は八王子の事業所の人だったが、八王子の代表になってからは、八王子に行くと八王子事業所で一番偉いので、黒塗りの社用車に乗っていた。

八王子の事業所で打ち合わせがあるとき、彼の都合が合うと、打ち合わせが終わった後会ってもらった。彼に夜会うと、その社用車に乗せてもらうことが多く、社用車に乗せてもらうと、いい気分であった。

夜、その人のおごりで、食事に連れて行ってもらうことも多く、そのおりには、八王子事業所内のいろんな話を聞いた。当時八王子事業所は、第1、第2事業所があり、８０００人くらいいて、普通の大きな会社くらいあった。

業務用の放送機器等もやっており、よく見る移動用放送車が何台も並んでいた。ノン・コンシューマ商品であり、我々が、「ノンコン」と呼ぶ商品である。当時、業務用の放送機器は、世界中でこの会社しかほとんど作っておらず、引き渡し前に必要な設備をしていたのだと思う。

特許部の八王子事業所の部長にもよく会った。彼はそのとき、特許に関する八王子の責任者をしており、彼は後に、特許部全体の統括部長になる人である。

八王子事業所で一番偉かった人は、私の面倒を良く見てくれて、いろんな世話を焼いてくれた。

11
浅草橋

東栄ビルが家賃の更新の時期になり、かなり上がることが判明した。バブルが終わってかなり経ち、飯田橋のオフィス賃貸料もかなり高くなっていた。そういうわけで引っ越し先を探すと、都内で一番安かったのは、日本橋から神田にかけてであった。その辺りはバブルの終焉時、株式投資が下火になり、証券業界がたくさん倒産したのである。また、その辺りは地上げが十分されず、アパレルの問屋も多くあり、小さな雑居ビルがたくさんあった。浅草橋にそういうビルのひとつを見つけ、移ることにした。1階がコンビニで、そのビルの2階の約60坪を1フロア全て借りることにした。

顧問先の会社の本社にも歩いて行くことができ、昼休みに神田川沿いを散歩することもできて、好都合だった。

引っ越してまもなく、明細書や意見書の原稿を作っている会社、つまりD社によばれた。その頃、私はこの会社に月一回くらい行っていた。私はいつものように打ち合わせ場所に行くと、顔見知りの課長が仕事場に来るようにと促した。

「悪いけど、そこに座ってくれる?」

「ここですか」

課長の前の椅子に座った。

「ある日、皆が、こんな公報をみて騒いでいるのだよ」

特許の公開公報を1通、示した。

「なんで、皆騒いでいるのだろう、と思って公報の代理人の欄を見たら驚いたね……よく知っている人の名前が書いてあるのだよ」

もちろん、私の名前である。私も驚いたふりをした。それにしても、知っているはずである。

「黙っていたけどこれは不味いね。代理人にならないで、いつまで原稿だけ書いているつもり?」

原稿だけ書けばいいという約束のはずだったのである。

「だって、両方の代理人はできないでしょう」

「だから、いつまでこの代理人をやっているのだろうといっている」

私は、しぼられたわけである。

面接の結果、採用した人を訓練しなければならない。

つまり、特許明細書を書けるようにしなければならない。そのためには、権利範囲を決めるクレームと、発明を実際に応用した実施例がそれぞれ書けなければならない。

両方いっぺんには無理だし混乱も多いので、まず実施例を書く練習をさせた。

実施例とは、明細書の中身であり、新しい技術を詳しく書くことである。

もちろん、この書き方に決まりなどない。でも、身近なものについて詳しく書かせると、人により書きぶりが違うし、センスがずいぶん違うのがわかる。

文章を書かせると、何を言っているか全然わからない人がいたり、意図していることと違うことを書いている場合もある。そういうことを指摘するだけで良くなる場合もあるから、文章を他人に見てもらう機会が今日よほどないのだということがわかる。

もちろん、何が何だか分らない文章を書く人もいるが、わからないところを指摘すると治ってくることが結構多い。

次にクレーム、つまり特許の権利範囲を文章で表した記述の件。「特許請求の範囲」ともいう。その書き方である。

文章で、発明、すなわち、技術思想を表現しなければならない。次に、公知になっていることを示し、それに、もともと書いてある違う技術を書き加える練習を繰り返し行う。「補正」の仕方である。

「発明」は手元の特許明細書に表現されているのだし、証拠は「引例」として具体的に示されている。だから引例、つまり引用された公報等に書いてないことで、特許明細書に最初から書いてあることは、いったい新たにどういう利点があるのかを発明者から聞き、それを「発明」に加えればいい作業である。

いうのは簡単だが、実際にそのとおり行うのは難しい。それを繰り返し練習していくと、書けるようになるのである。誰かがその練習につきあわなければならない。

新人に対する教育は、そういうことを通して、特許明細書や意見書を書く練習をしていくのである。

特許明細書などの原稿を請け負っていた会社から、社員を事務所に預かり、実地研修をすることを頼まれたことがある。知財部の人間をひとり預かって、毎日面倒見るのである。その間、彼は東京に住んでいた。

事務所の中をパーテーションなどで区切り個室を作る。所謂「ファイアーウオール」である。その個室の中に、預かった人間を滞在させ、過ごさせる。その個室から外に出さない。情報が漏れないためと、個室の中の人に他の会社の情報が知られる可能性を防ぐためである。

もちろん、その会社の打ち合わせには同行させる。発明者と打ち合わせをして、自社の技術がどのように聞き出され、原稿になっていくのかを、実際にみることになる。

事務所の技術を習得させ、実務家として恥ずかしくない水準に育てなければならないのである。その者が属する会社の意見書・補正書をやらせてみる。当然できないが、とりあえず書かせてみて、直して提出する。

参考に、この会社の「打ち合わせ」の実際を知ってもらうため、その様子をつぎに書く。「打ち合わせ」というが、その方式等について、決まっていない。企業ごとに異なるのが普通である。ここでは、原稿を書いていた会社の例を説明する。

この場合、発明が生まれて、私がその出願を担当しなければならない事業所は、いつも同じ製品を作っているのだから、関係する技術が限られている。同様に、担当する事務所も固定されている。つまり、事業所が固定されるのは、生まれる発明の技術分野がだいたい決まっているので、発明の内容を説明する手間の一部が不要になり、効率的なためである。私が得意、あるいは、向いていると判断された技術分野を担当するわけである。

また、事業所を固定するのは、似ている技術を担当すれば、期間を考えると、効率がいいからである。

少し複雑なるが、私が担当した製品を簡単に説明すると、大雑把にいって、「ＳＡＷデバイス」や「水晶振動子」である。

「ＳＡＷデバイス」とは、「ＳＡＷフィルター」ともいい、携帯電話などに用いられており、決まった周波数の電気信号を送出するものである。水晶などの圧電基板に、櫛形の電極を乗せて固定した、わりと単純な構造であり、電極の数や形、寸法を変化させる発明が主である。

「水晶振動子」とは、やはり、水晶などの圧電基板を「音叉」の形に加工し、それに溝を掘って電極を埋めるもので、電極に電気を通すと、目にみえないくらい、先が近づいたり離れたりして振動し、決まった周波数の信号を出すものである。ミサイルなどのジャイロとして用いられる。

両方とも、典型的なＢ to Ｂ（企業間取引）製品であり、私が担当したころは、大きな電気会社の子会社の「Ｔ通信機」などが、ライバルであった。

この事業所は遠かった。いつも、朝一番に、東京を出発する新幹線に乗らなければならない。

午前七時ちょうどである。家を出るのは、いつも午前五時半頃だった。

新幹線に二時間半ほど乗って、「仙台」駅に着く。そこから、東日本大震災で壊れたことで有名な電車に一時間くらい乗ったところの駅を最寄りとする事業所に通ったのである。

午前十時から、打ち合わせを開始しなければならない決まりだった。東京から行ってその時間に間に合わせなければならない。

「打ち合わせ」というのは、一般に、出願前に発明者と相談することを内容とする。

この会社では、一つの発明が出願の単位として考えられていて、一人の発明者ごとに、一通の「提案書」にまとめられるのが普通である。

一件40分から1時間で面談をすることになっていた。一日に、5件か6件やらなければならない。午前中から打ち合わせをして、昼休みを挟み、帰れるのはいつも夜だった。

それからまたローカル線に乗り、寒い仙台駅で二時間半くらい待って新幹線に乗り、やっと着くのが東京である。さらに乗り換えて家の最寄り駅に着き、帰宅する頃はいつも日付が変わっていた。

打ち合わせの面談では、明細書を書くための情報を聞き出し、大事なのは、審査を受けたとき審査官の質問に答えられるだけの証拠を、特許明細書に書き込んでおかなければならないことである。

ここで、その分野の知識を持っているかどうかが問題になる。将来、審査官がなにを聞くかを予想できないと、特許はとれない。そういう実力を、修業時代に身につけておかなくてはならないのである。

そのような力を持っているかどうかは、発明者にはすぐ分る。

その力がないと発明者に信用してもらえないし、次の打ち合わせにも呼んでもらえないのである。技術の基礎知識がない人は特許の専門家にはなれないというのは、そのせいである。

帰り道、私は仙台駅で、東京では経験できない思いをした。

仙台駅で、新幹線が来るまで少し時間があった。私はホームで待っていた。真冬の仙台駅は、寒いので、ホームに温度計が備えられていた。マイナス10度くらいに、気温が下がっていた。

やがて、遠くに、先頭がいろいろ光るきれいな電車が見えてきた。こちらに来る。新幹線が来たのだ。私は、電車に乗るために、乗り口が示されているところまで、移動しようとした。

「カチッ」

「なんだ？」

ホームで待っている間、靴底に、寒さで氷がついていたのである。寒いホームで立っている間に、靴底がホームに着氷していて、歩き始めたら氷が割れて音がしたのであった。

新幹線に乗ると、弁当を売りに来たので中身も確認せずにそれを買い、急いで食べて、ぐっすり寝た。疲れていたのである。目が覚めると「大宮」で、「東京」のひとつかふたつ手前である。近くまで帰ってきたので、嬉しくなった。

寒さで、初めて経験したことが、もうひとつある。

それまでも、東京で、電車に乗るとき晴れていたのに、遠く離れた目的地についたら雪が積もっていて、電車から降りたら、ズボンの途中までもぐってしまったことがあった。

でも、このときは外に出たら何か冷たいものが、顔に当たった。何か、降っているのである。雪ではなかった。なぜなら、晴れているのである。

見上げると、空にキラキラ光るものがたくさん飛んでいた。風花《かざばな》であった。それまで、見たことがなかったから、何なのかわからなかったのである。初めての経験であった。

打ち合わせが終わると、翌日から、事務所のパソコンに期限日が表示された。期限までに、原稿を書かなければならない。

特許明細書の原稿が出来ると、提出した。添付書類の形式である。

特許の出願の手続き等に必要なことは、提出した原稿の仕上げとともに会社の知財部でおこなったのだと思う。原稿を書きあげて提出したら、また次の月に出張して打ち合わせを行い、新しい発明を聞いて、その原稿を書くのである。

この会社には、その後も入れて、私は約10年くらい通った。何年か通ううち、事業所の課長さんが言った。

「最近、その日の発明の打ち合わせで、なにを要求するか予想できるようになりましたよ。だから、打ち合わせの前に、事前に発明者にそれを要求するのですよ」

私は嬉しくなった。はっきりした成長を確認できたのである。

ところが、事務所で預かった知財部員が彼の会社に帰ると、大変なことになった。良く会う事業所の課長がいった。

「彼は御前会議で、とんだ恥をかかせたんだ」

御前会議とは、知財担当役員が出席する会議のことである。

「東京の自由な風に吹かれて、人が変わって、生意気なことをいったんだ」

逆効果であった。彼は、なにをいったのか分らない。でも、何故私がしかられるのだろう。私は何か悪いことを教えたのだろうか。

ある日、拒絶査定不服審判（正式には、「拒絶査定に対する審判」）の中で、意見書・補正書を出した案件について、パートナーが相談してきた。これは、所謂「国内優先」を主張した出願である。

詳しく述べると、B社の出願した案件について、それをそのまま変更せずに、内容として含んだまま新規事項を足して新たに出願したところ、優先権が認められず拒絶された、つまり、審判に負ける可能性があるとのことである。

「なにかの間違いだろう」

と思い文句を言おうと思ったけど、出願人が審判を請求していいというので、特許庁の審判を請求した。拒絶査定不服審判である。

私も審判請求の代理人になった。審決の段になって、審判官のひとりが事務所に電話をしてきた。審判は3人の審判官の合議体で行われる。

「審決をしようと思ったら、補正を忘れていますよ」

「いや、補正を忘れたのではなく、しなかったのです」

「補正をしないと、出願を拒絶にしますよ」

電話口でいう。

「なにを補正しろというんですか」

審判官がいった。

「当然、図11の実施例の削除ですよ」

「図11の実施例だけですか。おかしいなあ、他にも当初出願に書いていない実施例がたくさんあるでしょ」

私がそういうと
「削除が必要なのは、図11の実施例だけです」

と答える。

「だから、他の実施例は残していい、というのはおかしいでしょ」

私は食い下がった。

「出願が拒絶になるよりいいでしょ」

と審判官は言う。

「だから、理屈に合わないといっているのです」

私は承服できなかった。

「そんなこといっていると、審決で負けますよ」

もんきり口調でいった。

「いいです。そんなことしたら、裁判するから」

はたして審決は負けた。審決取消訴訟は私だけでもできるが、依頼人の意向で弁護士をつけることになり、選定は一任された。そこで念のため、弁理士試験に受かって弁理士をしばらくやった後、司法試験にも受かって、弁護士を開業している人を探してきて頼んだ。一般法だけでなく、特許法も分らないと困るからである。

裁判は弁論準備手続きになった。

もちろん、私も出廷した。特許庁からは、3名の指定代理人が期日の都度、出廷してきた。こちらの代理人弁護士と私とは、意見が合わなかった。彼は、補正できることなら出願に含めてもいいのではないかといったが、私はそのような問題ではないと思った。やっかいな問題なので、くわしいことは、ここでは省く。

ある裁判期日に裁判所にいくと、相手方と言い合いになった。

「図11の実施例は、利用発明と考えられるから……」

私がいうと

「図11は利用発明じゃない」

と特許庁の指定代理人がいった。

「なんだと」

と私がいうと

「それが、お互いに、意見が会わない点ですね」

裁判官が割って入るようにいった。

「引例が、利用発明かどうか」

「裁判所は、この事件の争点は、よくわかりましたから」

と言った。

受命裁判官の面前で、これ以上もめるのは良くないと私は思った。裁判所は、こちらの主張をよく理解してくれていると、私は思ったのである。依頼人も後で、電話で

「いいたいことがあるのに、よく我慢してくれました」

といっていたのである。

しかし、判決があり、私は負けた。

12 有楽町

有楽町 1

浅草橋で過ごすうち、ある人から電話があり、有楽町で事務所をまとめて一緒にやらないかというお誘いがあった。

有楽町といえば銀座である。東京で一番家賃が安いところから、一番家賃が高い所へ引っ越すのである。我ながら、ポリシーがない。

先述の敗訴した訴訟を取り消すべく、「審決取消訴訟」の上訴。管轄は最高裁になる。ちょうど法改正の狭間であった。

「審決取消訴訟」は、東京高裁の専属管轄だから、上訴審は最高裁判所になる。今は、知財高裁の管轄だけど、この場合も上訴審の管轄は最高裁判所になり、結局同じである。

ところで、日本は三審制を採用している。最も上級審の裁判所は最高裁判所で、最高裁判所は、日本にひとつしかない。したがって、集中する上訴は多い。多いので、上訴の形式的な判断は、判決をした管轄の下級審の裁判所になっている。この場合、東京高裁である。

また、高裁から最高裁への上訴は、普通、判例違反、憲法違反が上告、普通の不服については上告受理申立が認められている。そこで、上告と上告受理申立の両方を行った。

ところが、東京高裁で判決を行った受命裁判官は、最高裁の調査官に転身していたのである。そして、この裁判官は、東京高裁の上告を審査する役割を果たすことになった。つまり、自分が行った判決の不服にかかわる上訴を、自分で最初に判断する役割を担うことになったのである。

これはたまらない。最高裁にいった上訴は、中身を審理する機会もないまま、棄却処分となって、確定したのであった。

後に、この裁判官が退官して弁護士事務所に勤務することになったとき、彼の事務所に、人の紹介で会いに行ったことがある。

彼は、謙虚な人であった。彼の事務所の応接に通されると、我々が座った後、彼が入ってきた。彼は最初から頭を下げ、最敬礼のまま入って来た。


「私は、あの判決をした後、移動しました」

「最高裁の調査官になったのです」

「それで、まわってきた書類を見たとき、私が出した判決だと、すぐ気付きました」

「私はその不服申立てを棄却したのです」

彼はいう。

「裁判所を辞めた後、周りの意見もあり、あの棄却判決は間違いだと、いろんな人にいわれました」

では、なんで、あんな判決をしたのだと聞くと、

「あの判決を書くとき、周りの人からいろんなことをいわれました」

という。

「判決を書くと、裁判長から、これはダメだといわれる」

「書き直すと、特許庁から来た調査官に文句をいわれる」

「どんな判決を書いても、誰かに文句をいわれるのです。……判決文の用語もおかしいし、全

体として意味が通らない、ひどい判決を書きました。……大変なご迷惑をかけました。これから先、当事者や先生たちの、どんなお手伝いもします」

彼はそういうが、現役の裁判官として、司法権という公権力を行使してしまったのである。しかも彼は最高裁の調査官として職務を行った結果、不服申し立てを棄却してしまった。その結果、この事件は確定してしまって、もう争えないのである。

それだけではない。この判決は、最高裁の判決が確定することにより、判例となってしまった。判例とは、専門的な意義がある。

最高裁の確定判決は「判例」として、規範性がある。どういう意味かというと、日本は三審制をとっているから、最後まで上訴すると、最高裁に行き着く。

最高裁の裁判官が変わらなければ、同種の事件の場合、同じ判決が出ると考えられる。それなら、裁判をするだけお金も手間もかかる。新たな裁判をしないで、同じ内容の判決が出ると予想して、それ以上、上訴しないほうがよい。

つまり、判決が法律と同じ意味になるのである。だから、最高裁の確定判決だけを、厳密には、「判例」という。

もっとも、時代がすすんで、世間の常識が変わり、最高裁の裁判官も変わることがある。その場合、最高裁の判決も違った判断になることもある。これを「判例変更」といっている。

さらに今回の判例が、特許庁の審査基準となって残ってしまったのである。つまり、これから特許行政をする上で、この基準が適用されるということである（特許庁発行：審査基準）。

その後、私は、特定侵害訴訟代理の資格を取得した。

特許は、日本以外で権利行使したいとき、その国でも出願しなければならない。つまり、特許権などは特定の国の中だけで有効である。特許独立の原則という。

国内優先権の、世界で唯一の最初の判例を得たことがあった。詳しい話は避けるが、つまり、コンピュータについて登録された特許権の、原告勝訴の唯一の判例を私が経験しているということで、ヨーロッパ特許庁の審査官2人が会いに来た。聞いた話だが、ヨーロッパ特許庁の審査官になるには、少なくとも自国の言葉を含めて3カ国語ができなければならないらしい。それはこのときの話である。

ただ、ヨーロッパの言葉は互いにとても似ていて、彼らは、1カ国語につき数週間でマスターできるという。とにかく、ドイツから2人の審査官が日本に来た。

外国から来たということで、お台場のホテルのレストランで食事をご馳走した。白状すると、私はこのとき一銭も払っていない。友人の他の弁理士が払ったのである。

でも、ホテルから帰るとき、泊まる所が私の家の近くだということで、送っていった。タクシーで一緒に帰る途中、日本の家庭が見たいという。仕方ないので、二人とも私の家へ連れて行った。

私の片言の英語で、それでも楽しい時を過ごした。妻がお茶をいれている姿を見て、彼らは驚いたような顔をしている。

何が不思議なのか聞くと、なんでも、ドイツには自動でお湯を出すポットはないとのこと。ポットが熱いお湯を出すのがよほど不思議らしく、一所懸命にポットを眺めていた。

一人は機械の専門家、一人は化学の専門家である。夜中に彼らが宿にしているホテルまで、車で送っていった。当時、私はアウディに乗っていた。彼らの一人が、「良い車に乗っているな」と褒めてくれた。

そこで、彼はどんな車に乗っているんだと聞いた。そうすると、一人が自慢そうに答えた。

「トヨタだよ」

つまり、そういうことである。日本人はドイツの車を良い車だと思い、高い金を出して買い、ドイツ人は日本車を良い車だと思って、高い金を払って買うのである。彼らは、妻が彼らひとりひとりにプレゼントした「栞」を、大事そうにもって得意げだった。

いろいろな会社で、普段使われている会社独自のフォーマットである「提案書」は、決まっていたことは前に述べた。そこで「提案書」を評価して点数をつけることが大事である。点数は、ＡＢＣでも数そのもの、たとえば７５点でも良い。

そうすると不思議なことに、よい「提案書」が増える。「提案書」の成績が上がった社員の評判が良くなり、その社員のやる気が向上する。

また、理科系出身の社員や理科系の業務に従事するものの評価が客観的になる。「提案書」が良くなれば、出願が増え、当然、会社の力も上がる。なにより、「提案書」を書いていても小遣い稼ぎなどという悪口をいわれなくなる。

マスマス月間のときの例の課長だった人を、定年後に、少しの間事務所に迎えることになった。彼の希望である。実に約３０年ぶりのことである。その間かれは、アメリカの特許事務所に行き、修行していた。無給だった。

彼は、私が書く特許明細書を見て言った。

「ずいぶん、難しいものを書くようになったけど、よく読んだら、わかったよ」

とのこと。私は、嬉しかった。

有楽町　2

私の営業先には医療機器の会社もあった。そこがクライアントになった顛末は、次のとおりである。

ある日、私の顧問先から電話があった。なんでも、特許権侵害をいわれたとのことである。大変な事態なので、とにかく、顧問をしている会社に行くことにした。

来た手紙を見ると、特許権侵害の警告である。しかし、差出人は見たことがあった。その会社とは関係がないと思うが、知財部長の名前については、私は知っていた。ただ、名前だけでは同姓同名もあり、判断できない。

警告書の特許についての無効理由を探すよう社員を手配し、その部長と直接会うことにした。出向いてみると、部長は、元B社の特許部の統括部長であった。彼がこの医療機器会社の知財部長になっていたのである。

「なんだ、先生の顧問先の会社だったのか」

部長は、なつかしそうにいった。

「○○さん、私の顧問先にこんな手紙寄越さないでくださいよ」

私は、困って言った。

「悪い、悪い。先生の顧問先の会社だって知らなかったからさ」

「会社に無効理由探すようにいっちゃいましたよ」

しかし、真顔でいう。

「でも、侵害しているだろ？」

「侵害だと思いますけど、もし、裁判やるのなら、仕方がないから、無効にしますよ」

「無効にできるの？」

私は答えた。

「無効になると思いますよ」

「オレの会社だよ」

彼は急に威張る。

「そんなの知りませんよ。侵害訴訟をやるなら、無効にするしかないでしょう」

「無効にされると困るんだよね。知財部としての立場もあるしさー」

やっと、本音が出た。

「他の会社にも権利行使しているからでしょう」

「わかるかね」

「だから、争わないほうがいいと思いますよ」

私は本当にそう思った。

「分った。やめよう」

「でもね、無効にしないで、さらに侵害もやめてくれない？」

都合がいいことを言う。

「できればやめるけど、ここで約束できませんよ」

「あと、うちの商品も売ってくれないかな」

「注文が多いですね」

本当である。

「いや、商品扱ってくれれば、多少、知財部の立場がよくなるからさ」

「考えていることは分るけど、全部約束はできないですよ」

話合いの結果、結局裁判には、ならなかった。

製品は外注で作っていて、いってみれば、製造の際、特許侵害をしているのは、その外注会社だった。その外注会社に、特許権侵害をいわれた件を打診すると、弁理士の鑑定書を送ってきた。

私がその鑑定書を見ると、間違いが発見され、その外注会社との製品の取引をやめたのである。

こうして侵害問題は終息し、医療機器会社の製品を、顧問会社のサイトで扱うことにした。

その後これを契機にして、私は、この医療機器会社、E社の出願も扱うことになったのである。

この医療機器会社は、昭和の末期、天皇陛下がお加減を悪くしたとき、連絡が入って人工心肺を用意した会社である。宮内庁から電話がかかってきて、お命を持たせなくてはいけなかったのである。ちょうど年末にかかっていることもあり、年明けまで、人工心肺で命をお保ちできたのである。


私は、血圧計で複数の特許を取ることができ、いくつかの会社に権利行使することができたのは、とてもよい思い出である。血圧計だけでなく、カテーテル治療、とりわけステントを数多くやらせていただき、大変勉強になった。

また、人工心肺、輸液ポンプ、シリンジポンプ、酸素濃縮装置、腹膜透析装置などは、我が国が世界をリードする技術をもっていると自負している。

例えば、この医療機器会社の血圧計を担当した。出願のとき、血圧計を非常に詳しく、細かいところまで書いた出願が昔既に出ていた。この出願を念頭に、家電量販店に行くのである。たくさんの製品の中から、各社の血圧計を良く見る。そうすると、前に出願した明細書に書かれた構造を備えた血圧計が、いくつも存在した。

私はかつての経験に基づいて、そういう血圧計が見つかったので、特許請求の範囲を補正して分割出願をし、この分割出願に触れる血圧計のメーカーに警告したのである。２つのメーカーが損害金を払い、製品を店頭から撤去した。

特許の値段については、次のような話がある。

難しい理屈などは避けるが、青色ＬＥＤの帰属は会社にあると判断された。中間判決である。問題は、発明者から会社が特許を譲り受けた後、譲渡料金を払ったかということである。そしてその料金は、いくらだったかという問題があった。

このとき、地裁で認定された特許の価値金額が６００億円だったことが、世間を騒然とさせた。しかし、原告は２００億円しか請求してなかったから、原告の請求の満額である２００億円の判決となった。裁判手続きの問題である。

そして高裁に上訴されると、この裁判は和解で終了した。このとき、日本の裁判所は、例の青色ＬＥＤの特許だけではなく、原告に、出願中を含む全ての特許の和解も勧めたといわれている。

この発明者は、青色ＬＥＤを発明したことによりノーベル賞を受賞したが、特許がノーベル賞の対象になったのである。特許がノーベル賞の対象に付与されたのは、このときだけではない。例えば、「江崎ダイオード」もノーベル賞の対象になっただけではなく、特許もとっている。

中国の特許問題が大きくクローズアップされている。

中国では、行政機関が特許紛争に大きな役割を果たしており、後になくなったが、「質量統計局」という機関が大きな権限を持っていた。

かの国では、特許を持っているだけで相当な権力があり、どこかの工場が特許を犯しているという証拠を当局が入手すると、すぐ、「ガサ入れ」してくれるらしい。もっとも、ある工場を特許権侵害で差し止めても、離れた工場でまた同じものを生産するので、いくら取り締まってもきりがないという評判である。

行政機関が判決を待つことなく、ただちに差し止める権限を持つというのも理解できないことであるが、特許権侵害の取締りも大変である。

なにか、香港経由で侵害品が国内に流通するという噂もある。侵害事件があまりに多いので、中国の法律事務所が来日したときに、侵害の追求にざっといくらくらい費用がかかるか聞いたところ、100万円くらいといっていたが本当だろうか。

昔は工業所有権、今の知的財産権の国別の出願件数は日本がとても多くて、世界第1位だったが、いまは米国と中国が第1位を争っているようである。特許出願数は国力に比例する。

中国特許庁の前まで行くと、変わった商売をしている人に会うという。

「中で見て、気に入った商標があったら出願してやるよ」

中国の人がいう。

中国特許庁のデータベースで、日本の会社の登録商標を見て、気に入った商標を探し、その商標が中国で登録されていなかったら、中国に出願する。商標が登録された後、その日本企業が中国に入ってきたら、その日本企業に商標を売って儲けるというものである。

「いい儲け話があるよ」

こういって彼らは客を募っていた。中国で、まだ登録されていない日本企業の有名な商標は、たくさんある。しばらくは、こういうひどい商売が盛んだった。


顧問をしている会社の子会社に、介護用品のメーカーがあった。

この会社は高円寺にあったので、私の家から車ですぐだった。車椅子や、ウォーカーなど、いろいろな製品の打ち合わせをさせてもらった。ちょうど、介護保険が制度として導入されて、タイミングがいいと思われた。

しかし、そうはならなかった。介護用品のレンタル商売が、普及したのである。

タイミングがいいと思ったのは、介護用品がたくさん売れるようになると思ったからである。

また、高齢者が増えて、介護用品の需要が増すと思われた。ところが、注文が増えたのは、最初だけである。介護用品が世間に出回っていない期間だけである。

介護ビジネスの会社のほうが増えたのである。最初はそうした会社が介護用品を購入するブームが来た。でも、購入した「介護保険」により、レンタルビジネスがはじまったのである。たくさんの高齢者は、「介護保険」を使って、介護用品のレンタルをする契約を結んだ。そうした契約は、ケア・マネージャーを介して、会社と高齢者で定期的に大量に行われ、介護用品のメーカーは介在しなくてよくなったのである。介護用品はすぐ壊れるものではないから、メーカーの需要はそんなにないのである。

これに対して、介護を必要とする人は毎年新しく増えるし、一方、介護を必要としなくなる人も出てくる。つまり、介護用品を回転させればよいのである。ケア・マネージャーの介護認定が絡んで「介護保険」が適用になるという仕組みになったので、介護用品は、買うよりレンタルが盛んになったのである。こうした事情で、この子会社は立ちゆかなくなり、事業を本体で吸収するしかなくなったのである。

「別荘村」を持っていた先生の話である。

「彼は、年金をごまかしたのがバレて、お縄になったことがあるんだよ」

「それが、皇太子様のご成婚の時の恩赦で、弁理士の資格を返してもらって、事務所をやれるようになったんだ」

「皇太子様」とは、今の上皇陛下のことである。

昔は、特許原簿も紙のものにペン書きであったし、年金（年次の登録料）の支払い記録もペンで書いていた。この特許原簿は閲覧できるようになっていたのである。

彼は、原簿閲覧を申請して、この閲覧のとき原簿にペン書きして記録を書き換え、ある権利者について特許が認められた後の税金である年金を支払ったように見せかけようとして、捕まったらしい。公文書偽造である。

その権利者から、よほどの金をもらったのか、それとも、以後の出願の約束を取り付けたのかもしれない。いまは、特許原簿もコンピュータで記録するようになっている。

私はI先生という弁理士によく会うようになった。

時間が自由になる立場だったので、I先生から電話がかかってくるたびに会った。I先生は、あの「別荘村」を所有していた、京橋の事務所の跡継ぎだった。昔所長をしていた先生が８０過ぎで鬼籍に入った後、そのお弟子さんが事務所を継がれたが、その人も亡くなり、I先生が事務所をついでいたのである。彼は私より１５歳くらい上で、私に事務所をついでもらいたい意向をもっていた。大正時代から続く、業界では有名な事務所である。しかし、私は自分の事務所を経営していたので、その事務所を継ぐわけにはいかなかった。

I先生の父上は、昔、特許庁にいた人で、意匠法の権威だった。I先生も意匠法の専門家で、著作もあり、いただいた本を私も読んでいた。

彼は、自分の事務所に、どういうお客さんがあるか説明し、損はないといった。

「それに、お宅は他にも弁理士はいるでしょう?」

それはそうだが、そういうわけにはいかなかった。今の事務所は自分で作った事務所である。人の事務所より、自分の事務所をやりたい。

それに、事務所のクライアントは、私が獲得したお客である。手放すのは、人道上も、道義上もよくない。

十数年前であるが、彼は私にこの仕事は向いていないから、止めたほうがいいといったのである。弁理士試験も絶対受からないといった。私のような法学部でも理工学部でもない人がやる仕事ではないともいわれた。でも、私はしつこいのである。自分でやりたい仕事は諦めなかった。

I先生には、それからも何度か会った。

彼は、私の行った裁判の判決を良く知っていて、いろいろ意見をいただいた。その中に、前述の国内優先の判決（前述の図11の判決）も入っていた。結論を聞いて、彼はとても怒った。判決が間違っているというのである。判決が間違っているのは当然として、そういう判決に導いた私が悪いということである。

意匠法の議論もよくした。私も意匠法に興味があり、研究していた。

韓国の財閥系の会社から依頼があり、この会社の日本国特許庁への出願代理人になった。出願代理人になるのはいいのであるが、いわゆる「アン・タッチャブル」で出願してくれという注文である。つまり、何も足さないようにということで、「手を触れるな」ということである。そこで、本国からその会社の出願として送られてきた書類を見て驚いた。

書類は、あらかじめ日本語に訳されているのであるが、内容がひどい。いやしくも日本で特許を取ろうとしているのに、こんな低級な内容では絶対とれない。

そう分っても、「アン・タッチャブル」であるから、何も足せないのである。くわえて、料金が非常に安い。こんな低額では、なにもサービスできないのである。仕方がないので、誤字脱字がないように全体を点検してから出願したが、やはり権利はとれなかった。

知的財産の知識　3

提案書　新しい技術を思いついた社員などが、その内容を書くもの。今まで知られていることを「従来の技術」として書き、なにを発明したか、従来に比べてどんなメリットがあるかを書く。

職務発明　発明をなした者の職務として、発明を完成させたものであって、所属する法人等の業務に属するものを特別に職務発明という。

著作権と異なり、発明は人でないと認められない。日本では、会社等は、原則として予め承継、つまり譲り受けや原始取得は、特別な要件がないとできないことになっている。「職務発明」でないものとして「自由発明」がある。「職務発明」について特許を受けた場合、一定の要件のもとで会社等がその発明を取得することができるとされている。会社等は、「職務発明」の場合、法定の通常実施権を有する。会社の発明だけでなく、大学で生まれた発明が問題になる。

職務発明に限って、所属する法人等にあらかじめ帰属させる等の特別な関係を持たせてもよい。職務発明制度のあり方は、「青色発光ダイオード事件」により、法改正された。

自由発明　職務発明以外の発明。その帰属は、原始的に発明者にあり、所属する法人等にあらかじめ帰属させることはできない。

報酬制度　記載された提案書の中身や、そこに書かれた発明などの内容に応じて、発明者に報酬を設けるなど、主に会社等で設けられる制度。

不正競争防止法　事業者間の公正な競争を確保するために、事業者間の公正な競争を阻害する一定の不正行為を禁止する法律。不正行為とはなにかについて定義している。

消尽説　「もちいつくされた」という意味で、商品が適法に流通過程に置かれたとき、権利者が最初の譲渡などにより、権利による利益をあげたと考えられるとき、もはやそのものにより、利益を上げることを許さない、という裁判上の説。

主に工業所有権について認められるが、たくさんの支分権の束と観念する著作権に適用することはできない。例えば、複製をされると、著作権者は侵害されたことになる。

プロ・パテント（政策）　アメリカのレーガン大統領は８０年台以降、パテントすなわち、「特許」や「知的財産」を「プロ」すなわち、支持する政策をとることにより、アメリカは復活したといわれている。このように、「知的財産」を重視する政策をいう。

基本特許　「発明の効果」を発揮する上で全てを含む漏れのない特許のことだが、これでは何のことか分らない。周辺特許とか応用特許とは異なり、ある技術を実施する上で、必ず実施しなければならない基本構造や原理を特定してなる特許。

権利的に非常に強いが、しばしば、日本は「基本特許」が少ないと批判され、基本特許を利用しなければならない「応用特許」は多い。「応用特許」をとっていると、「基本特許」と「応用特許」の実施権はバーターされることができる。

ビジネスモデル特許　仕事の仕組みに取り入れられる技術情報、いわゆるＩＴなどの新しい技術に与えられる特許である。

パテントプール　特許の蓄積。具体的には、特定の技術に関連した特許のクロスライセンス契約に合意した２つ以上の団体、例えば企業連合などによるコンソーシアム等、特許管理団体を作り、特許権者と実施権者の時間と金を節約すると同時に、複雑に関連した特許においては、その発明を実用化するのに、パテントプールが妥当な方法になる場合がある。

技術標準　ある技術に関して、ルールや規則などの取り決めを適用したものという意味であり、その技術を使う人や、製造する人等が便利になる。例えば、ネジの経に寸法等が規格決めをされているので、買うとき同じものが買え、便利になっている。

標準特許　技術標準になる内容をなす特許。いわゆる「ＳＥＰ」「スタンダード・エッセンシャル・パテント」。例えば、「デファクト・スタンダード」等になっている場合、その技術を使わなければ、「スマホ」とは呼べないということ。いわば規格と特許を両方武器にするというもので、非常に強力なことが問題となる。必ず使うようになるからである。

（標準）必須特許　基本特許と似ているが、ある技術（ある標準技術）を実現するために、必ず必要とされる特許。

フランド　「ＦＲＵＮＤ」と書く。「公正」で「非差別的」というような意味で、もっている特許を合理的な金額で実施料を取ってやらせなければならないということ。「標準技術」に特許が必要なとき、これが標準と認められるためには、その認定に必要とされた特許を実施させなければならないという意味。

オープン&クローズ戦略　自社に必須の技術を特許により独占する一方、自社があまり重要視していない技術を開放して、自社に有利な事業を構築する戦略。

有楽町　3

会社の名前が問題になることもある。

ある食品会社の名前の要部が、大阪のあの即席ラーメンを発明した会社の商標に関する要部と一致していて紛らわしいという問題があった。驚いたことに、会社の名前の要部がまったく同じなのに全然関係ないらしい。○○製粉グループ本社、○○食品、○○オイリオ、皆おなじである。○○製粉は、海外を意識した名前で合併により生じたらしい。○○食品は、「日々清らかな味をつくる」意味から作った造語らしく、○○オイリオは、戦前、実際に中国に工場があり、「清国」からきているそうだ。

この3社は、お互いにまったく関係がなく、資本関係もない。ところがみんな大きな会社なので、子会社すなわち、関連会社まで含めると、大変な数になる。それに、3社とも食品関連の会社なので、商標上、指定商品が重なることが多く、新しい商標取得の際、必ず問題になる。商標の選定は非常に難しかった。

そこでこれらの会社は、都度集まり、この問題を調整しているらしい。私も商標問題を鑑定したことがあり、大変難しいので苦労した。

「東京オリンピックのマーク」について、ある雑誌社から意見を聞かれた。

外国人の著作権に触れるデザインを採用してしまった件である。とんだ調査不足である。著作権だけでなく、商標の問題もあると思うと答えたら、その雑誌社の方は納得されたようであった。

その頃、商標権侵害の追求を依頼された。調べてみると何のことない、異議申立てで負けた、例のＪＫビジネスの商標であった。相手方の商標が登録された。

相手方は、この商標を使って商売していたが、どうもその商売が怪しい。少し無理と感じたが、こちらの商標権を無断で使っているとして警告し、無効審判も請求した。相手方は、商標協会に属する弁理士（私のこと）を使って警告してきたと、行政書士を使って警告書に対して回答してきた。商標協会の権威を使っているといいたいのであろう。

無効審判の答弁書も出してきた。審決が出た。こちらの負けである。結局、ＪＫビジネスの商標は無効にできず、審決に負けた以上、裁判はあぶないので諦めた。ＪＫビジネスの正体については、最近あきらかになったとおりである。


事務所は有楽町にあった。有楽町というのは、銀座である。事務所は有名な家電量販店の向かいにあった。宝塚の東京支店のそばであり、ちょっと歩くと日比谷シャンテや帝国ホテルがあった。毎日、散歩に出て老舗のレストランをみつけ、入るのが楽しみだった。数寄屋橋交差点や麹町小学校、みゆきどおり等、私は田舎者である。

銀座４丁目付近には「マネケン」の本店や日産のギャラリーがあった。またその近くには、料理ごとに高いワインをあけるレストランも見つけた。数寄屋橋からお台場のほうへ歩くと、歌舞伎座があった。歌舞伎座の側で地下へもぐる場所があり、その地下へ潜ると、なにやら古い所のようであり、あやしいものを売っており、道路の反対側に出られた。

また、西の方へ行くと泰明小学校があり、やんごとない小学校を初めて見た。そんな有楽町の日比谷の近くに昔で言う「キャバレー」のような店があった。名前は「クラブ」であるが、全国の女性を雇って、「ホステス」と称していた。

来店する客には、「あなたの郷里の女性を応援してください」という触れ込みで、古里のホステスを目当てにして、営業している。たぶん古い店で、昔からの路線だと思うが、妙に新しい感じがして興味をそそられたが、残念ながら一度もいかなかった。私は酒が飲めない体質だったのである。

事務所の雑用をやる人がいないので、早稲田大学に、アルバイトをやる人を紹介してもらいに行った。男子と女子の一人ずつが選ばれてきた。

男子のほうは大学院に行く予定らしい。女子は、一年留年して来年就職するという。留年するならしょうがない。どうせ、アルバイトだ、事務所の仕事に影響はないだろうと思った。

男の子に聞いたら、大学院の受験勉強をしているという。教授から、大学院の受験勉強をしているうちに資格も当然取るほうがよい、といわれたとのことである。資格がとれればいいと思う。

アルバイトで来た女性に聞いてみた。

「留年するんだって?」

「そうです。ちょっと、勉強しすぎちゃって」

「学校行かないで、家で勉強していたの？」

よく分らない。彼女は続けた。

「ついつい家でやっちゃって」

「家だけで？」

「そうなんです。そうしたら、出席日数が足りなくなっちゃって」

「なんの勉強してたの？」

「資格試験ですよ」

当然のようにいう。

「何の資格試験？」

「何のって、弁理士試験ですよ」

「そうか、で、どうだった？」

「受かりましたよ」

「え！」

「受かったの？」

「はい」

なんと、学生の身分で現役なのに受かったのである。

「じゃ、来年は、大きな特許事務所に就職するの？」

「いえ、外資系のコンサル目指しています」

と、こんな感じであった。


もちろん、弁理士資格は職業資格である。

それは、「発明」を適法にあつかうことができる資格として認められており、私はその仕事を長年してきた。

さまざまな会社が、特許問題を解決する上で、いろんな問題に直面してきた。でも、「発明」はなによりも知的財産権である。人の「知」の営みの結果、生まれるものである。

ノーベル賞を含めて、こうしたもの、すなわち「発明」は、あるいは特許として、世界中同じように扱われてきて、特許発明は法律的にはそれを侵した場合、「侵害」が追求されるし、無断で実施すれば「差止め」られる。

無断で侵害すれば、「損害賠償」の対象となり、「差止請求」の対象とされるのである。煎じ詰めれば、損害賠償はお金の問題だし、差止めはその技術の独占の問題である。

人も会社も、要は結果として、最後に目指すものは「金」なのである。特許をとることにはなったが、科学技術を追求してきたものが、最後には、「金」では悲しいのではないか。

思えば、ノーベル賞だって同じではなかろうか。もちろん名誉だってあるが、賞金があるということは、目当てに「金」があるのではないか。特許が、「無体財産権」の1つというのは、多分、そういう意味である。

「損害賠償」や「差止め」は裁判所の問題である。でも、出願して特許されないうちは、主に行政の問題であるわけだ。この段階でも、発明の実施の制度はいくつもある。

発明が実施されれば、産業が促進されるのは明らかであり、それを望んでいる発明者も多い。産業の促進も、「実施料」だから、ある意味「金」である。

技術に貢献してきた人達は、お金よりも自己の発明が社会に役立つことを、望んでいるのである。それを手助けする仕事をしてもいいと思うし、そのような仕事も必要である。

お客さんとよく話しあって、その結果、納得できる多様な解決を図るべきであり、そのためには話しやすく、信頼出来る関係を普段からつくるべきである。

また、仕組みや制度に精通し、そのことを良く知ってもらい、信用してもらわなければならない。資本主義の制度だからしょうがないのだけれど、特許にするのか、それとも発明者証的なものにするか、など選択できてもいいような気がする。

普段のつきあいと、熱心な仕事。これらは自然にできあがっていくような気がする。

長年、この仕事をしてきて、思うことがある。

出願すれば、その発明が特許を取れるように、いろいろなことをするし、特許庁、裁判所で有利なことを言ったりもする。でも、権利化のポイントと、発明者や企業が重要だと思っていることとは、異なることが多いようである。

これまでいろいろ、実際に起こった特許問題を見てきた。こういう特許問題を、自分で解決できるように備えなければならないわけだ。参考にしてほしい。

体験したかぎりでは、発明者・企業は、実際の特許の観点とは異なる点を権利にしたいと思ったり、自分が製品にするときも、他社に発明を実施させるときも、「実施料収入」ばかりが目的ではないのではないか。

代理人は、なによりも、発明者・企業が、なにを大事にしているかを理解しなければならないし、他社に実施させるときは、どの点をとりいれなければならないか、あやまたず、交渉しなければならないと痛感する。それが、依頼人の満足に通じるし、信頼のカギになるのではないか。

とまあ、ここまでは私の勝手な理屈である。だけど、良く聞く話に「私はいつも成功している」「私は訴訟に負けたことがない」といっている人がいる。本当にそうかも知れないが、その人は勝利できる事件ばかり選んでいることになり、それはそれとして問題ではなかろうか。

実際にはそうはいかない。「仕事」とは、お客さんと一緒に悩み、お客さんと一緒に戦うことのような気がする。最初から負けるのが分っている事件も、誰かがやらなければいけない。それが、専門家の使命である。

どのように負けるかが大事だし、なによりもその予想をお客さんに説明できなければならない。負け方が分っていれば、準備できる。

「あなたと一緒に仕事をして、楽しかった」

そういわれると、嬉しい。金銭を追求するだけが、職業ではない。

もう、そろそろ、新しい職業観が出てきてもいいような気がする。

あとがき

２０１６年の正月。

私は夜、自宅で倒れてしまった．「脳卒中」であった。救急車で運ばれて、救急病院に入院した。事務所に、銀行の口座印も職印もバッジも残したままであった。なんの備えもできていなかった。こういうこともあるのだ。

起こりうることなのだが、準備していない人は多い。

「脳卒中」は「小脳出血」であり、よくある「脳梗塞」よりずっと後遺症等も多く、重かったが、手術の結果、命はとりとめた。しかし、長い入院を余儀なくされ、病気する前の仕事は、すぐには、できなくなったのである。

仕方がないので、病気の体験を手記にした。私の病気は脳卒中であり、昔からある病気でもある。軽い病気ではないが、ありふれている。でも、小脳障害の「闘病記」は、ほとんど出版されていないのである。

小脳は脳幹のすぐ隣にある。

「脳幹」は神経中枢など、生命維持のための組織が集中している。だから、小脳で出血があると、ほとんどの場合、脳幹を侵し、圧迫するので、たいがい亡くなることが多い。

小脳障害を体験した人は亡くなることが多いから、手記はほとんどなく、どういう感じなのか体験そのものは、実際にはわかっていない。


私は「小脳出血」だった。「小脳障害」は医学的には、解明されているかもしれないが、患者当人の体験は必ずしもそうではない。

私は、入院の体験や、自宅での生活など、これまで、必ずしも知られていなかったことを書いてみた。退院して、リハビリ機関に通っているとき、脳卒中のことを話してくれと言われたことがある。しかし、私には「構音障害」があり、私が話すことは、聞き取りにくかった。

つまり、歩行できないから、どこへも行けず、右手が失調で、ほとんど使えないから、文章も書けず、従って手紙は書けない。「構音障害」で話すこともままならなかったので、電話もできなかった。

でも、今はパソコンがあった。私は、体験したことを、左手一本で、ワープロで書くことにしたのである。

そういうことで、本当は、脳卒中の患者やそのリハビリをする人等に向けて書いたものもある。それとは別に、私が社会に出てからやったことも知らせる価値があるかも知れないとも思った。それで、本書も書いたのである。それしかやれることは、なかった。平成の間、やってきた仕事について説明することにした。それが、本書である。

著　者：岡崎　信太郎（おかざき　しんたろう）
昭和 32 年，東京生まれ.
昭和 55 年，早稲田大学卒.
製薬会社勤務．退社後，昭和 63 年，弁理士本試験合格.
平成 3 年，特許事務所開設.
平成 22 年，23 年，政府：工業所有権審議会委員.
平成 25 ～ 29 年，日本弁理士会：中央知的財産研究所副所長.
現役のまま「脳卒中」．現在，リガテック特許商標事務所所長．弁理士.

特許を巡る企業戦争最前線
2020 年 7 月 3 日 第 1 刷発行

発行所：㈱海鳴社　http://www.kaimeisha.com/
〒 101-0065　東京都千代田区西神田２－４－６
E メール：kaimei@d8.dion.ne.jp
Tel.：03-3262-1967　Fax：03-3234-3643

発行人：辻　信行
組　版：海鳴社
印刷・製本：シナノ印刷

出版社コード：1097
ISBN 978-4-87525-351-8